Antoine Plamondon
(1804-1895)

René Villeneuve

Le chemin de croix de l'église Notre-Dame de Montréal

The Way of the Cross of the Church of Notre-Dame de Montréal

Yves Lacasse

Une exposition présentée au Musée des beaux-arts de Montréal du 3 février au 1er avril 1984
An exhibition presented at The Montreal Museum of Fine Arts from February 3 to April 1, 1984

Grâce à une subvention des Musées nationaux du Canada, le service de Diffusion du Musée fera ensuite circuler cette exposition dans différents musées et centres d'exposition.
Through a grant from the National Museums of Canada, the Extension Services of the Museum will afterwards send this exhibition to various museums and exhibition centres throughout Quebec and Canada.

Conception graphique: Claire Gélinas

© Musée des beaux-arts de Montréal, 1983
Tous droits réservés
Tous droits de traduction et d'adaptation, en totalité ou en partie, réservés pour tous les pays. La reproduction d'un extrait quelconque de ce livre, par quelque procédé que ce soit, tant électronique que mécanique, en particulier par photocopie, microfilm, bande magnétique, disque ou autre, sans le consentement du propriétaire du droit constitue une contrefaçon passible des peines prévues par la loi sur le droit d'auteur, chapitre C-30, S.R.C., 1970.

ISBN: 2-89192-034-1
Dépôt légal: Bibliothèque nationale du Québec,
1er trimestre, 1984
Imprimé au Canada

Produit par le service des Relations publiques et de l'Information du Musée des beaux-arts de Montréal, sous la direction de Francine Jacques

Distribué par la
Boutique du Musée
Musée des beaux-arts de Montréal
3400, avenue du Musée
Montréal (Québec)
Canada H3G 1K3
Téléphone: (514) 285-1600

Graphic conception: Claire Gélinas

© The Montreal Museum of Fine Arts, 1983
All rights reserved
The use of any part of this publication reproduced, transmitted in any form or by any means, electronic, mechanical, photocopying, recording or ortherwise, or stored in a retrieval system, without the prior consent of the publisher is an infringement of the copyright law, Chapter C-30, R.S.C., 1970.

ISBN: 2-89192-034-1
Legal deposit: Bibliothèque nationale du Québec,
1st trimester, 1984
Printed in Canada

Produced by the Public Relations and Information Department of the Montreal Museum of Fine Arts, under the supervision of Francine Jacques

Distributed by
Museum Boutique
The Montreal Museum of Fine Arts
3400, avenue du Musée
Montreal, Quebec
Canada H3G 1K3
Telephone: (514) 285-1600

TABLE DES MATIÈRES

TABLE OF CONTENTS

I Antoine Plamondon
L'Arrestation de Notre-Seigneur
Huile sur toile, 1839
153,2 x 240,5 cm
Signé et daté en bas au centre:
"A. Plamondon p 1839"
Musée des beaux-arts de Montréal
Legs Horsley et Annie Townsend
1961.1321

I Antoine Plamondon
The Arrest of Christ
Oil on canvas, 1839
153.2 x 240.5 cm.
Signed and dated at lower center:
"A. Plamondon p 1839"
The Montreal Museum of Fine Arts
Horsley and Annie Townsend Bequest
1961.1321

II   Antoine Plamondon
Jesus recouvert de la robe des fous
Huile sur toile, 1837
153 x 240,8 cm
Signé et daté sur la deuxième contremarche:
"A Plamondon pinxit 1837"
Musée des beaux-arts de Montréal
Legs Horsley et Annie Townsend
1961.1322

II   Antoine Plamondon
Jesus Dressed in the Robe of Fools
Oil on canvas, 1837
153 x 240.8 cm.
Signed and dated on the second stair riser:
"A Plamondon pinxit 1837"
The Montreal Museum of Fine Arts
Horsley and Annie Townsend Bequest
1961.1322

A. Plamondon

III Antoine Plamondon
Le Christ à la colonne
Huile sur toile, 1837
153 x 242 cm
Signé et daté en bas vers la gauche:
"A. Plamondon pinxit 1837"
Musée des beaux-arts de Montréal
Legs Horsley et Annie Townsend
1961.1323

III Antoine Plamondon
Christ at the Column
Oil on canvas, 1837
153 x 242 cm.
Signed and dated at lower left:
"A. Plamondon pinxit 1837"
The Montreal Museum of Fine Arts
Horsley and Annie Townsend Bequest
1961.1323

IV Antoine Plamondon
   "Ecce Homo"
   Huile sur toile, entre 1836 et 1840
   153 x 242 cm
   Signé sur la balustrade:
   "A. Plamondon p."
   Musée des beaux-arts de Montréal
   Legs Horsley et Annie Townsend
   1961.1324

IV Antoine Plamondon
   "Ecce Homo"
   Oil on canvas, between 1836 and 1840
   153 x 242 cm.
   Signed on the balustrade:
   "A. Plamondon p."
   The Montreal Museum of Fine Arts
   Horsley and Annie Townsend Bequest
   1961.1324

V Antoine Plamondon
   Jésus sur le chemin du Calvaire
   Huile sur toile, entre 1836 et 1840
   153,3 x 240,6 cm
   Musée des beaux-arts de Montréal
   Legs Horsley et Annie Townsend
   1961.1325

V Antoine Plamondon
   Jesus on the Road to Calvary
   Oil on canvas, between 1836 and 1840
   153.3 x 240.6 cm.
   The Montreal Museum of Fine Arts
   Horsley and Annie Townsend Bequest
   1961.1325

VI   Antoine Plamondon
       La Déposition de croix
       Huile sur toile, 1839
       153,2 x 240,6 cm
       Signé et daté en bas à gauche:
       "A. P. <u>don</u> p. 1839"
       Musée des beaux-arts de Montréal
       Legs Horsley et Annie Townsend
       1961.1326

VI   Antoine Plamondon
       The Deposition from the Cross
       Oil on canvas, 1839
       153.2 x 240.6 cm.
       Signed and dated at lower left:
       "A. P. <u>don</u> p. 1839"
       The Montreal Museum of Fine Arts
       Horsley and Annie Townsend Bequest
       1961.1326

ABRÉVIATIONS

cat.	catalogue
cm	centimètre
env.	environ
fig.	figure
QCAP	Québec, Chambly, Archives de la paroisse
QMACAM	Québec, Montréal, Archives de la Chancellerie de l'Archevêché de Montréal
QMAMBAM	Québec, Montréal, Archives du Musée des beaux-arts de Montréal
QMAPND	Québec, Montréal, Archives de la paroisse Notre-Dame
QMAPSH	Québec, Montréal, Archives de la paroisse Saint-Henri
QMASSS	Québec, Montréal, Archives du Séminaire de Saint-Sulpice
QMIBC	Québec, Montréal, Inventaire des biens culturels
QQAMHDQ	Québec, Québec, Archives du Monastère de l'Hôtel-Dieu de Québec
QQAMUQ	Québec, Québec, Archives du Monastère des Ursulines de Québec
QQANQ	Québec, Québec, Archives nationales du Québec
QQIBC	Québec, Québec, Inventaire des biens culturels
QSLAP	Québec, Sainte-Luce, Archives de la paroisse
QSRAP	Québec, Sault-au-Récollet, Archives de la paroisse

Note : Dans les dimensions des œuvres, la hauteur précède la largeur. Toutes les citations ont été reproduites intégralement.

ABBREVIATIONS

cat.	catalogue
cm.	centimeter
fig.	figure
QCAP	Quebec, Chambly, Archives of the Parish
QMACAM	Quebec, Montreal, Archives of the Chancery Office of the Archdiocese of Montreal
QMAMMFA	Quebec, Montreal, Archives of the Montreal Museum of Fine Arts
QMAPND	Quebec, Montreal, Archives of the Parish of Notre-Dame
QMAPSH	Quebec, Montreal, Archives of the Parish of St-Henri
QMASSS	Quebec, Montreal, Archives of the Seminary of St-Sulpice
QMIBC	Quebec, Montreal, Inventaire des biens culturels
QQAMHDQ	Quebec, Quebec City, Archives of the Monastery of Hôtel-Dieu de Québec
QQAMUQ	Quebec, Quebec City, Archives of the Monastery of the Ursulines of Quebec
QQANQ	Quebec, Quebec City, Archives nationales du Québec
QQIBC	Quebec, Quebec City, Inventaire des biens culturels
QSLAP	Quebec, Sainte-Luce, Archives of the Parish
QSRAP	Quebec, Sault-au-Récollet, Archives of the Parish

Note : In dimensions, height always precedes width. All quotations are reproduced in full. Wherever a French source is indicated, the quoted reference was translated from the French; the original may be consulted in the French section of his catalogue.

PRÉFACE

Le peintre Antoine Plamondon (Ancienne-Lorette, 1804-Neuville, 1895) peut, à juste titre, être considéré comme l'une des figures dominantes de la peinture québécoise au 19e siècle. Après un apprentissage chez Joseph Légaré (1795-1855), Antoine Plamondon poursuit ses études artistiques en France d'où il revient en 1830 pour s'établir à Québec. Dès lors, il domine le milieu artistique de l'époque, à la fois par sa production, son enseignement et ses nombreuses prises de position. Subissant les contrecoups d'une concurrence grandissante, il se retire à Neuville en 1851 où il continue à s'adonner à la peinture jusque dans les années 1885.

Connu avant tout aujourd'hui comme un brillant portraitiste, Antoine Plamondon n'en demeure pas moins le peintre de tableaux religieux le plus prolifique de son temps. La réputation enviable dont il jouissait se traduira d'ailleurs, en 1836, par la prestigieuse commande d'un chemin de croix pour la nouvelle église Notre-Dame de Montréal.

Ayant acquis en 1961 six des quatorze stations du chemin de croix initial destiné à l'église Notre-Dame qui avaient échappé à la destruction, le Musée des beaux-arts de Montréal se devait de faire connaître au public cet ensemble d'œuvres exceptionnel d'Antoine Plamondon. C'est ainsi que l'on a pu voir certains de ces tableaux figurer dans des expositions thématiques ou prendre temporairement place dans les salles d'art canadien du Musée des beaux-arts de Montréal.

En dépassant l'unique approche esthétique pour aborder des questions essentielles à la bonne

PREFACE

The painter Antoine Plamondon (Ancienne-Lorette, Québec, 1804-Neuville, Quebec, 1895) may justly be considered one of the dominant figures of nineteenth-century painting in Quebec. After an apprenticeship to Joseph Légaré (1795-1855), Antoine Plamondon continued his artistic studies in France, returning to settle in Quebec City in 1830. Even at this early date, he dominated the artistic world of his time, through his works, his teaching and his important official positions. In 1851, however, suffering from growing competition, he retired to Neuville, where he continued to paint until around 1885.

Today, Plamondon is above all known as a portraitist; nonetheless, during his lifetime he was one of Quebec's most prolific painters of religious works. His enviable reputation as a religious artist resulted, in 1836, in a prestigious commission to paint a suite of works depicting the Way of the Cross for the new Church of Notre-Dame de Montréal.

In 1961, The Montreal Museum of Fine Arts acquired six of the fourteen paintings of the original Notre-Dame suite which had escaped destruction, and has continually tried to place this series by this exceptional artist before the public. Thus, some of the paintings have been the subject of specific didactic exhibitions, or have been on display, in rotation, in the Galleries of Early Canadian Art.

The present exhibition and the monograph go beyond a purely aesthetic approach to these works to address questions basic to a proper understanding of our early religious art, such as the phenomenon of the copy, the rôle of the clergy in artistic

compréhension de notre art religieux ancien, telles le phénomène de la copie, ou le rôle du clergé, et l'impact des dévotions populaires sur la production de nos artistes, la présente exposition saura, nous l'espérons, faire mieux comprendre notre patrimoine religieux.

C'est au patient travail de recherches de monsieur Yves Lacasse que nous devons l'exposition et cette monographie. Nous espérons qu'elles auront pour résultat de mieux faire apprécier l'un des aspects trop méconnus de notre héritage culturel.

> Nicole Cloutier, Ph.D,
> conservatrice de l'art canadien ancien,
> Musée des beaux-arts de Montréal

commissions of the period, and the impact of popular beliefs on the production of our artists, all in order to help us better understand our artistic heritage in religious art.

We owe this exhibition and catalogue to the patient and persistent research of Mr. Yves Lacasse. We hope that it brings clearer comprehension and knowledge to this relatively unknown aspect of our history.

> Dr. Nicole Cloutier,
> Curator of Early Canadian Art,
> The Montreal Museum of Fine Arts

REMERCIEMENTS

C'est à Nicole Cloutier, conservatrice de l'art canadien ancien au Musée des beaux-arts de Montréal, que revient l'initiative de la présente exposition. Qu'elle trouve ici l'expression de toute notre gratitude pour son étroite collaboration.

Nombreuses sont les personnes qui, à divers titres, ont collaboré de près ou de loin à la préparation et à la réalisation de cette exposition. Qu'il nous soit permis de remercier ici d'une façon particulière monseigneur Fernand Lecavalier, curé de la paroisse de Notre-Dame de Montréal, monseigneur Matthew Dubee, curé de la paroisse de Saint-Patrick de Montréal, monsieur Gilles Lachapelle, curé de la paroisse de Saint-Henri de Montréal, le frère Émile Baillard, archiviste des Clercs de Saint-Viateur à la Maison provinciale d'Outremont, sœur Claire Gagnon, archiviste au Monastère des Augustines de l'Hôtel-Dieu de Québec et monsieur l'abbé Claude Turmel, président du Comité de construction et d'art sacré de l'Archevêché de Montréal. Nos remerciements vont également à monsieur John R. Porter, professeur d'histoire de l'art au département d'Histoire de l'Université Laval à Québec et directeur de notre thèse de maîtrise sur la peinture religieuse dans l'œuvre d'Antoine Plamondon, à monsieur Pierre Rosenberg, conservateur en chef au département des Peintures du Musée du Louvre, à monsieur Claude Thibault, conservateur de l'art québécois ancien au Musée du Québec et à madame Anne Denoon, adjointe de l'archiviste au Musée des beaux-arts de l'Ontario. Nous aimerions de plus souligner la collaboration toute spéciale de messieurs Robert Lipscombe, Fred Schaeffer et Guy-André Roy. Nous tenons également à exprimer notre gratitude au personnel des Archives de la

ACKNOWLEDGEMENTS

Nicole Cloutier, Curator of Early Canadian Art of The Montreal Museum of Fine Arts, initiated the present exhibition; I here extend all my gratitude for her close collaboration.

Many people from near and far and in many capacities have helped in the preparation and realization of this project. I would here like to extend special thanks to Monseigneur Fernand Lecavalier, pastor of the parish of Notre-Dame de Montréal, Monseigneur Matthew Dubee, pastor of the parish of St. Patrick's of Montreal, Father Gilles Lachapelle, pastor of the parish of St-Henri de Montréal, Brother Émile Baillard, Archivist of the Clerics of St. Viateur at the Provincial Residence in Outremont, Sister Claire Gagnon, Archivist at the Augustine Monastery of Hôtel-Dieu of Quebec City, and Reverend Claude Turmel, President of the Comité de construction et d'art sacré de l'Archevêché de Montréal. I also thank Mr. John R. Porter, Professor of Art History at the Université Laval of Quebec City, as well as Mr. Pierre Rosenberg, Chief Curator of the Department of Painting of the Louvre, Mr. Claude Thibault, Curator of Early Quebec Art at the Musée du Québec, and Mrs. Anne Denoon, Assistant to the Registrar of the Art Gallery of Ontario. I would also like to mention the very special help of Mr. Robert Lipscombe, Mr. Fred Schaeffer and Mr. Guy-André Roy. Finally, I would like to express my gratitude to the archival staff of the corporation of Notre-Dame de Montréal and the Chancery Office of the Archdiocese of Montreal for their patience and dedication. We also thank Herménégilde Laflamme and François Prud'Homme c.s.v., who helped with research in the archives of the Institution des Sourds-Muets and the Maison

fabrique de Notre-Dame de Montréal et à celui de la Chancellerie de l'Archevêché de Montréal pour leur patience et leur dévouement. Nous remercions enfin les frères Herménégilde Laflamme et François Prud'Homme, c.s.v., à qui nous devons le dépouillement des archives de l'Institution des Sourds-Muets et de la Maison provinciale des Clercs de-Saint-Viateur à Outremont.

Cette exposition et la présente monographie qui l'accompagne n'auraient pu être menées à bonne fin sans la participation des différents services du Musée des beaux-arts de Montréal. La révision finale des textes et la traduction ont été assurées respectivement par Éliane Francœur et Holly Dressel. Le secrétariat a été confié à Jocelyne Lacroix et à Christiane Bergeron. Enfin, le service de Diffusion du Musée, sous la direction de Daniel Amadei, a vu à faire circuler cette exposition dans divers centres du pays.

Yves Lacasse,
conservateur invité

Provinciale des Clercs de Saint-Viateur in Outremont, as well as Monseigneur Neal Willard of the Chancery Office for his help in translating ecclesiastical titles.

This exhibition and the accompanying catalogue could not have been produced without the participation of the various services of The Montreal Museum of Fine Arts. Final revision of texts and translation were by Éliane Francoeur and Holly Dressel. Typing was by Jocelyne Lacroix and Christiane Bergeron. Finally, the Extension Services of the Museum, under Daniel Amadei, will be circulating this exhibition among various art centres in the country.

Yves Lacasse,
Guest Curator

INTRODUCTION

Inaugurée en juin 1829 et considérée à l'époque comme le plus remarquable édifice de toute l'Amérique du Nord, l'actuelle église Notre-Dame de Montréal faisait alors la fierté des Sulpiciens qui en assuraient la desserte. D'un concept architectural nouveau puisant au vocabulaire néo-gothique, sa construction — rendue nécessaire par l'accroissement démographique de l'unique paroisse de l'île de Montréal[1] — est l'œuvre de l'architecte James O'Donnell (1774-1830). Rien n'a été épargné pour faire de la nouvelle église un monument digne de la ferveur religieuse de la nation qui l'a érigée (fig. 1). L'édifice ne sera cependant pas achevé avant 1843, alors qu'on termine l'élévation des deux tours de la façade. Des difficultés financières provoquent également une altération sensible du décor qu'avait originalement prévu O'Donnell pour l'intérieur du bâtiment. Si l'on peut terminer le sanctuaire peu après l'inauguration de l'église (fig. 2), il faut attendre jusqu'en 1833 pour que le décor des chapelles latérales soit complété.[2]

En 1834, on peut enfin songer à commander au peintre américain James Bowman (1793-1842), alors de passage à Montréal, un chemin de croix pour la nouvelle église. Pris de découragement devant l'ampleur de la tâche à accomplir, ce dernier abandonne rapidement son chantier.[3] C'est ainsi que l'on songe, en 1836, à faire appel au talent du peintre Antoine Plamondon pour que les paroissiens de Notre-Dame puissent enfin bénéficier de tous les privilèges et indulgences rattachés à la dévotion nouvelle au chemin de croix. Terminé en 1839, le chemin de croix de Plamondon se rallie les éloges les plus enthousiastes. Malgré une critique favorable unanime, les autorités ecclésiastiques, pour des raisons d'orthodoxie religieuse, se voient pourtant dans l'obligation de refuser au peintre ses quatorze tableaux. Sans doute le premier chemin de croix connu dans l'histoire de l'art du Québec, cet ensemble eut une destinée aussi curieuse que mouvementée qu'il nous a

INTRODUCTION

Inaugurated in June of 1829 and considered at the time as the most magnificent edifice in all of North America, the present Church of Notre-Dame de Montréal was the pride of the Order of the Gentlemen of St. Sulpice, who were its priests. Its construction, rendered necessary by the demographic growth of this sole parish on the island of Montreal,[1] was the work of architect James O'Donnell (1774-1830), who created a new architectural concept for the city, using a neo-gothic vocabulary. Nothing was spared to make the new church a monument worthy of the religious fervor of the nation which erected it (fig. 1). The building, however, was not completely finished until 1843, when the two towers of the façade were completed. Financial difficulties had also necessitated a significant alteration of O'Donnell's planned interior decorations. Although the sanctuary was completed shortly after inauguration (fig. 2), it was not until 1833 that the decoration of the side chapels was finished.[2]

By 1834, it was finally possible to think of commissioning the American artist James Bowman (1793-1842), then visiting in Montreal, to create a Way of the Cross suite suitable for the new Church. Discouraged by the magnitude of the task, however, Bowman soon gave up work. The Church then thought of calling on the talents of the artist Antoine Plamondon, so that Notre-Dame parishioners could finally benefit from all the indulgences attached to the new Catholic devotion to the Way of the Cross. Plamondon's Way of the Cross suite, completed in 1839, garnered the most enthusiastic praise, but despite almost unanimous public approval, the ecclesiastical authorities, for reasons of religious orthodoxy, found themselves in the position of having to refuse the fourteen paintings. From this period, the suite began its curious and complicated history, which we shall have to trace in detail before beginning a proper study of each of these works, the first known Way of the Cross series by a Quebec artist.

Fig. 1

James Carter,
d'après William Henry Bartlett/from William Henry Bartlett
Cathédrale de Montréal/The Cathedral, Montreal
Gravure sur acier, coloriée à la main/
Hand-coloured steel engraving, 1840, 21,2 x 26,6 cm
Musée des beaux-arts de Montréal/
The Montreal Museum of Fine Arts. Gr. 981 (?) .7

Fig. 2

John Henry Le Keux,
d'après William Henry Bartlett/from William Henry Bartlett
Intérieur de la cathédrale de Montréal/
Interior of the Cathedral, Montreal
Gravure sur acier, coloriée à la main/
Hand-coloured steel engraving, 1841, 19,8 x 26,1 cm
Musée des beaux-arts de Montréal/
The Montreal Museum of Fine Arts
Don de John Steegman/Gift of John Steegman. Gr. 981 (959) .8

fallu éclaircir avant d'aborder l'étude des quatorze stations, dont six seulement nous sont parvenues.

En redonnant la place qui lui revient à cet ensemble, unique dans la production artistique québécoise de la première moitié du 19e siècle, nous tenterons de démontrer à quel point ce groupe d'œuvres, par sa facture, témoigne à la fois de la formation, du talent et des conceptions artistiques de l'un des chefs de file de notre école de peinture. Par leur iconographie, ces œuvres nous révèlent en outre l'âme d'une époque et nous permettent d'éclairer le contexte dans lequel elles ont été produites et reçues. À cet égard, on assiste ici à l'émergence d'une importante pratique religieuse qui aura une incidence considérable sur la production de plusieurs de nos artistes. En effet, le chemin de croix de Plamondon ouvre la porte à toute une série de réalisations auxquelles prêteront volontiers leur nom des artistes aussi connus que Charles Huot (1855-1930), Ozias Leduc (1864-1955), Georges Delfosse (1869-1939), Médard Bourgault (1897-1967), Émile Brunet (1893-1977) et même Paul-Émile Borduas (1905-1960), ou Jordi Bonet (1932-1979).

In restoring this suite, unique in early nineteenth-century art, to the place it deserves, we will attempt to show to what extent this group of works bears witness to the training, talent and aesthetic sense of one of the leading artists of the Quebec school of painting. Moreover, through their iconography, these works reveal to us the soul of the period, and illuminate the historical context in which they were produced and received. In this respect, they witness to the emergence of an important religious practice which would often reappear in the work of our artists. In fact, Plamondon's Way of the Cross opened the door to a whole series of productions created by artists such as Charles Huot (1855-1930), Ozias Leduc (1864-1955), Georges Delfosse (1869-1939), Médard Bourgault (1897-1967), Émile Brunet (1893-1977) and even Paul-Émile Borduas (1905-1960) and Jordi Bonet (1932-1979).

1. UNE COMMANDE PRESTIGIEUSE DES SULPICIENS

Établi à Québec depuis son retour d'Europe en 1830, Antoine Plamondon est très fier de la formation académique qu'il y a reçue auprès de Jean-Baptiste Paulin Guérin (1783-1855). Fort de cet atout, il réussit en peu de temps à se tailler dans la capitale du Bas-Canada une place très enviable comme peintre d'histoire et comme portraitiste auprès d'une clientèle constituée principalement de notables et de membres du clergé.[4] S'il faut en croire les journaux de l'époque, ce n'est d'ailleurs "(...) qu'à la prière réitérée de plusieurs des premiers citoyens de Montréal, (qu') il doit, à la fin du printemps de 1836, laisser Québec pour aller pratiquer dans cette ville pendant quelques semaines."[5] À son arrivée à Montréal, Plamondon fait paraître une annonce dans le journal *La Minerve* du 27 juin 1836 afin d'informer le public "(...) qu'il se fera un plaisir de faire tous les ouvrages de PEINTURE qu'on voudra bien lui commander, tels que portraits, tableaux d'église, tableaux de genre, de fantaisie, &c."[6]

Le rédacteur de *La Minerve* profite de la parution de cette annonce pour encourager la clientèle montréalaise à rendre visite au peintre. Du même coup, il nous apprend que, déjà à l'époque, la réputation de Plamondon dépasse largement les limites de la région de Québec:

> "Nous sommes allés voir notre compatriote Mr. Plamondon qui est arrivé de notre capitale depuis trois ou quatre jours dans le but de passer quelque temps à Montréal et y exercer son art. Nous avons toujours entendu parler de Mr. Plamondon comme d'un habile artiste. Quelques connaisseurs, qui ont eu occasion de voir ses tableaux, nous en avaient fait les plus grands éloges. Nous nous sommes convaincus par nous mêmes qu'il n'y avait rien d'exagérer dans ce qu'ils nous en disaient, et nous n'hésitons pas à proclamer Mr. Plamondon le premier talent du pays en fait de peinture. Nous engageons fortement les amateurs et ceux qui désirent étudier cet art de profiter de cette occasion."[7]

1. A PRESTIGIOUS COMMISSION FROM THE GENTLEMEN OF ST. SULPICE

Established in Quebec City since his return from Europe in 1830, and very proud of the academic training he had received from Jean-Baptiste Paulin Guérin (1783-1855), Antoine Plamondon was able to create a very enviable position for himself in Lower-Canada's capital as a history painter and portraitist to a clientèle consisting primarily of notables and members of the clergy.[4] It is even possible to believe that, "...at the reiterated urging of several highranking citizens of Montreal, he left Quebec City at the end of the spring of 1836 to practise his art in Montreal for several weeks."[5] As soon as he arrived in Montreal, Plamondon placed an advertisement in the paper *La Minerve* on June 27, 1836, to inform the public "...that he would be pleased to undertake all works of PAINTING that are asked of him, such as portraits, church paintings, genre paintings, fantasy, &c."[6]

When this advertisement appeared, the editors of *La Minerve* strongly encouraged their Montreal readers to visit the artist, and at the same time witness to the fact that Plamondon's reputation already extended well beyond Quebec city.

> "We went to see our compatriot, Mr. Plamondon, who arrived from our capital three or four days ago, to pass some time in Montreal and practise his art. We had always heard Mr. Plamondon spoken of as an able artist. Several connoisseurs who have had occasion to see his paintings, have expressed to us their highest praise. We were convinced that nothing was exaggerated in what they told us, and we do not hesitate to proclaim Mr. Plamondon the principal talent in the country in painting. We strongly encourage amateurs and those who wish to study art to profit from this occasion."[7]

Such flattering reports did not fail to bring the artist numerous clients, including Louis-Joseph Papineau, President of the Legislative Assembly of Lower Canada,

Fig. 3

Antoine Plamondon
Portrait de Mary Ann Wragg/Portrait of Mary Ann Wragg
Huile sur toile/Oil on canvas, 1836, 88,2 x 73,5 cm
Signé et daté en bas à gauche/Signed and dated at lower left:
"A Plamondon 1836"
Musée des beaux-arts de l'Ontario/
Art Gallery of Ontario, Toronto. 82.147

Fig. 4

Antoine Plamondon
Portrait de John Redpath/Portrait of John Redpath
Huile sur toile/Oil on canvas, 1836, 86,4 x 73 cm
Signé et daté sur le bras du fauteuil/
Signed and dated on the chair arm:
"A. Plamondon 1836"
Université McGill/McGill University, Montréal

Des propos aussi flatteurs attirent à l'atelier du peintre l'élite montréalaise de l'époque, dont Louis-Joseph Papineau, président de l'Assemblée législative du Bas-Canada, et son épouse.[8] De la même période datent les portraits du manufacturier Thomas B. Wragg et de Madame Wragg, née Mary Ann Wilkins (fig. 3),[9] ainsi que ceux de l'entrepreneur et industriel John Redpath (fig. 4)[10] et de sa seconde épouse Jane Drummond.

Sans doute rapidement mis au fait de l'arrivée à Montréal d'un peintre de talent, M. Joseph-Vincent Quiblier (1796-1852) qui, à titre de supérieur de la Communauté de Saint-Sulpice à Montréal, a reçu le mandat de pourvoir

and his wife, née Julie Bruneau.[8] The portraits of the manufacturer Thomas B. Wragg and his wife, née Mary Ann Wilkins (fig. 3),[9] as well as those of the industrialist John Redpath (fig. 4)[10] and his second wife, Jane Drummond, also date from this period.

Joseph-Vincent Quiblier (1796-1852), who, as Superior of the Gentlemen of St. Sulpice of Montreal was charged with providing the parish church with a Way of the Cross,[11] was probably quickly informed of the arrival of a talented painter in Montreal, and he visited Plamondon at his residence on rue Notre-Dame, which was very close to the Sulpicien Seminary.[12] Easily convinced of

Fig. 5

Antoine Plamondon
Nature morte aux raisins/Still-life with Grapes
Huile sur toile/Oil on canvas, 1838, 91,7 x 75,1 cm
Signé et daté en bas à gauche/Signed and dated at lower left:
"Plamondon 1838"
Musée du Québec, Québec. A 76 175 P

Fig. 6

Antoine Plamondon
Portrait de Zacharie Vincent/Portrait of Zacharie Vincent
Huile sur toile/Oil on canvas, 1838, 114,3 x 96,5 cm
Inscription au verso avant rentoilage/
Inscription on the back before relining:
"Le tableau est le Portrait du dernier des Hurons de Lorette,
il se nome Zacarie Vincent, il est âgé de 23, Peint par
Ant Plamondon à québec 1838"
Collection Schaeffer/Schaeffer Collection, Toronto

l'église paroissiale d'un chemin de croix,[11] ne manque pas non plus de rendre visite à Plamondon. Ce dernier, au demeurant, s'est établi rue Notre-Dame, tout près du Séminaire des Sulpiciens.[12] Assez facilement convaincu du bien-fondé de la réputation avantageuse dont jouit Plamondon, et devant le prix très raisonnable demandé par le peintre pour un travail aussi important,[13] Quiblier n'hésite pas longtemps avant de confier au "premier talent du pays en fait de peinture" la commande des quatorze tableaux de son chemin de croix. Son contrat en poche, Antoine Plamondon songe aussitôt à regagner la ville de Québec afin de mener à bien son entreprise. Il prend tout de même la peine de remercier les

Plamondon's well-founded reputation, and considering the very reasonable price he was asking for such a major work,[13] Quiblier did not hesitate to confide the commission of fourteen paintings for a Way of the Cross to "the principal painting talent in the country." Once this important business was concluded, Plamondon at once thought of returning to Quebec City in order to begin work. Therefore, without neglecting to thank Montrealers "for the generous encouragement he had received during his stay", and excusing himself for "not having been able to satisfy all requests", the artist left the city at the end of September, 1836.[14]

Montréalais "pour l'encouragement libéral qu'il a reçu pendant son séjour" et s'excuse "de n'avoir pu satisfaire à toutes les demandes". Le peintre quitte la ville à la fin du mois de septembre 1836.[14]

Le 10 octobre de la même année, le rédacteur du journal Le Canadien annonce fièrement que:

> "(...) M. Plamondon est de retour de Montréal, où il a rencontré tout l'encouragement que méritent ses talens reconnus, comme peintre de portraits de famille, et même il a entrepris, pour l'église de Montréal, 14 tableaux représentant les principaux incidens de la Passion."[15]

À cette époque, Plamondon occupe depuis plus de deux ans "un appartement dans le superbe édifice du Parlement Provincial pour y faire ses tableaux."[16] Il quitte cet atelier au mois de juillet de l'année 1838 pour s'installer à l'Hôtel-Dieu, "au-dessus de la demeure de Messire Loranger. Entrée par la rue du Palais."[17] Tout nous incite à croire d'ailleurs que ce déménagement ait été rendu nécessaire par l'ampleur des travaux qu'exigeait la commande du supérieur des Sulpiciens.[18]

Le chemin de croix de l'église Notre-Dame de Montréal allait être la plus importante réalisation de sa carrière et Plamondon entendait bien y consacrer toutes ses énergies et le meilleur de lui-même. En 1841, son travail achevé, il avertit son public que "(...) tous ceux qui ont fait des demandes de portraits et de tableaux et qui n'ont pu être servis à cause de ces grandes entreprises pour le district supérieur (entendons ici la ville de Montréal), qu'il est maintenant prêt à les satisfaire et à recevoir de nouvelles commandes."[19] C'est vraisemblablement pour son propre plaisir que Plamondon peint en 1838 une Nature morte aux raisins d'après un original ayant appartenu au peintre Joseph Légaré (fig. 5).[20] De cette copie que Plamondon conservait toujours en 1843, un amateur dira candidement que "(...) ces raisins là sont si beaux, si pleins de jus que si l'on était seul et un peu gourmand ce petit tableau courrait des risques d'être croqué (...)"[21] De 1838 date également le très beau portrait de Zacharie Vincent (fig. 6) peint, semble-t-il, dans le but bien précis d'être présenté à un concours organisé en avril de la même année par la Société littéraire et historique de Québec. En obtenant une médaille de première classe pour son portrait du

On October 10 of the same year, the editor of the paper Le Canadien proudly announced that:

> "...Mr. Plamondon has returned from Montreal, where he met with all the encouragement his talents deserve, as a painter of family portraits, and he has even undertaken, for the Church of Montreal, 14 paintings representing the principal events of the Passion."[15]

At this time, Plamondon had lived for more than two years in "an apartment in the superb edifice of the Provincial Parliament, where he paints his works."[16] He left this studio in July of 1838 to move to Hôtel-Dieu, "above the apartment of Messire Loranger. Entrance by the rue du Palais."[17] All circumstances lead us to believe that this move was necessitated by the sheer size of the works for the Sulpicien commission.[18]

For the Way of the Cross of the Church of Notre-Dame de Montréal, Plamondon expected to consecrate a maximum of his energy and display all of his talent. Once the work was completed, in 1841, he notified his public that "...all those who have made requests for portraits and paintings that could not be carried out because of the great work undertaken for the Upper District (that is, the City of Montreal), I am now able to satisfy them and to receive new commissions."[19] It was probably for his own pleasure that Plamondon painted a Still-life with Grapes in 1838, after an original having belonged to the artist Joseph Légaré (fig. 5).[20] Of this painting, still in the artist's possession in 1843, an admirer candidly said that, "...these grapes are so lovely, so full of juice, that if one were alone and a little greedy, this little painting would run the risk of being devoured..."[21] The very beautiful portrait of Zacharie Vincent (fig. 6) also dates to 1838, painted, it would seem, for the purpose of being presented at a competition organized in April of the same year by the Société littéraire et historique de Québec. When he obtained the first-class medal for his portrait of the "last pure-blooded Huron savage of this Province", Plamondon broke the isolation of several months in which he had been forced to live in order to execute the Notre-Dame commission.[22]

This period between 1836 and 1840, in which his pictorial production was almost exclusively limited to the Notre-Dame suite, corresponded to an intensely

EXHIBITION

DE LA PASSION DE N. S. JÉSUS-CHRIST
EN 14 TABLEAUX,
DE 8 PIEDS DE LARGE SUR 5 DE HAUT
PEINT PAR
ANT. PLAMONDON, ARTISTE.

LES sujets suivants sont maintenant exposés à la GARDE ROBE de la CHAMBRE d'ASSEMBLÉE pour quelques jours seulement:

I. Tableau,—Mon Père, détournez, s'il vous plaît de moi ce calice. Néanmoins que ma volonté ne se fasse point, mais la vôtre. St. Luc ch. 22 v. 42.

II.—Quoi! Judas, avec un baiser, vous livrez le fils de l'homme. St. Luc ch. 22 v. 48.

III.—Si j'ai bien parlé; pourquoi me frappez-vous? St. Jean ch. 18 v. 23.

IV.—Une servante vint à lui, qui lui dit; vous étiez aussi avec Jésus de Nazareth. St. Mat. ch. 26 v. 69.

V.—Hérode le fit revêtir par moquerie d'une robe blanche. St. Luc ch. 23 v. 11.

VI.—Pilate fit prendre Jésus, et le fit flageller. St. Jean ch. 17 v. 1.

VII.—Puis entrelaçant des épines, ils en firent une couronne qu'ils lui mirent sur la tête; ils lui mirent aussi un roseau à la main droite. St. Mat. ch. 27 v. 29.

VIII.—Pilate dit: Voilà que je vous l'amène dehors, afin que vous sachiez que je ne trouve en lui aucun sujet de condamnation. Jésus sortit donc, portant une couronne d'épines et un manteau de pourpre, et Pilate leur dit; Voilà l'homme. St. Jean ch. 19 v. 4 et 5.

IX.—Pilate se lavant les mains dit: je suis net du sang de cet homme juste. St. Mat. ch. 27 v. 24.

X.—Jésus portant sa croix, alla au lieu appelé Calvaire, qui se nomme en hébreu Golgotha. St. Jean ch. 19 v. 17.

—Mais Jésus, déjà épuisé de forces et de sang, succomba bientôt sous le faix,

XI.—Est-il une douleur semblable à la mienne? Jéré. Lam. ch. 1 v. 12.

—Ce fut à la troisième heure du jour qu'ils l'attachèrent à la croix. Ils crucifièrent avec lui deux voleurs, un à sa droite et l'autre à sa gauche, et Jésus au milieu.

XII.—Mon Père, je remets mon ame entre vos mains, et disant ces paroles, et baissant la tête il rendit l'esprit. St. Jean ch. 19 v. 30.

XIII.—Joseph (d'Arimathie) vint trouver Pilate, et obtint de lui le corps de Jésus. Il le descendit de la croix. St. Luc ch. 24 v. 52 53.

XIV. Et dernier tableau. Joseph prit le corps, et le mit dans le sépulchre qu'il avait fait tailler dans le roc. St. Mat. ch. 27 v. 59 60.

Prix d'admission, 1s. 3d.

Québec 26 Novembre 1839.

EXHIBITION OF PAINTINGS,

CONSISTING of THE PASSION OF OUR SAVIOUR JESUS CHRIST, in fourteen Pictures, 8 feet by 5, by ANT. PLAMONDON, *Artist.*

The following are the subjects of each Painting, to be viewed at present, in the WARD-ROBE of the HOUSE OF ASSEMBLY, for a few days only:

I. Father, if thou be willing, remove this Cup from me; nevertheless not my will, but thine be done. St. Luke, ch. 22, v. 42.

II. Jesus said unto him, Judas, betrayest thou the Son of Man with a kiss? St. Luke, ch. 22, v. 48.

III. If I have spoken evil, bear witness of the evil; but if well, why smitest thou me? St. John, ch. 18, v. 23.

IV. A damsel came unto him saying, thou also wast with Jesus of Gallilee. St. Math. ch. 26, v. 69.

V. Herod mocked him, and arrayed him in a gorgeous robe. St. Luke, ch. 23, v. 11.

VI. Pilate took Jesus and scourged him. St. John, ch. 19, v. 1.

VII. They platted a crown of thorns and put it on his head, and a reed in his right hand. Math. ch. 27, v. 29.

VIII. Pilate saith: behold, I bring him forth to you, that ye may know that I find no fault in him. Then came Jesus forth wearing the crown of thorns and the purple robe; and Pilate saith unto them behold the man. St. John, ch. 19, v. 4 & 5.

IX. Pilate washed his hands before the multitude, saying I am innocent of the blood of this just person. St. Math. ch. 27, v. 24.

X. Jesus bearing his Cross, went forth into a place called the Place of a Scull, which is called in the Hebrew, Golgotha. St. John, ch. 19, v. 17.

XI. Behold, and see if there be any sorrow like unto my sorrow. Lam. of Jer. ch. 1, v. 12.

It was the third hour and they crucified him, and with him they crucified two Thieves, the one on his right hand and the other on his left.

XII. He said, it is finished; he bowed his head and gave up the ghost. St. John, ch. 19, v. 30.

The earth did quake, and the rocks rent, and the graves were opened. St. Math. ch. 27, v. 51 & 52.

XIII. Joseph of Arimathea went unto Pilate and begged the body of Jesus; and he took it down, &c. St. Luke, ch. 23, v. 52 & 53.

XIV. When Joseph had taken the body he wrapped it in a clean linen cloth, and laid it in his own new tomb, which he had hewn out in the rock. St. Math. ch. 27, v. 59 & 60.

Price of admission, 1s. 3d.

Quebec, 26th Nov. 1839. u

Fig. 7

Exhibition de la Passion de N.S. Jésus-Christ...
Annonce parue dans *Le Canadien* du 27 novembre 1839 (reprise les 29 novembre et 2 décembre)
Advertisement appearing in *Le Canadien* of November 27, 1839 (reprinted November 29 and December 2)

Fig. 8

Exhibition of Painting...
Annonce parue dans le *Quebec Mercury* du 26 novembre 1839 (reprise les 28 et 30 novembre)
Advertisement appearing in the *Quebec Mercury* of November 26, 1839 (reprinted November 28 and 30)

"dernier sauvage de pur sang Huron, qui habite cette Province", Plamondon rompt l'isolement dans lequel le maintient depuis plusieurs mois l'importante commande de Notre-Dame.[22]

Bien que sa production picturale soit limitée presque exclusivement au chemin de croix de l'église Notre-Dame de Montréal entre les années 1836 et 1840, Plamondon connaît par ailleurs une période d'intense activité pédagogique. Ainsi, jusqu'en 1841, il enseigne le dessin au Séminaire de Québec.[23] Et de 1834 jusqu'au mois de mai de l'année 1838, on compte deux élèves à son atelier: François Matte (1809-1839) et François Xavier (Théophile) Hamel (1817-1870). Le premier termine alors son apprentissage.[24] Quant au second, il ne quittera l'atelier de Plamondon qu'en 1840,[25] après un stage de six ans pendant lequel le maître s'est engagé à lui "(...) montrer et enseigner durant le dit terme l'art de la peinture et tout ce dont il se mêle en icelui sens lui en rien cacher et autant que le dit Apprenti voudra s'en rendre capable."[26] On peut donc sérieusement envisager la possibilité que Théophile Hamel ait collaboré étroitement à la réalisation du chemin de croix de Notre-Dame. Par contre, il ne fait aucun doute que Plamondon soit demeuré le seul maître-d'œuvre de cet important chantier: la tâche à accomplir, par son ampleur, ne pouvait en effet être confiée qu'à un artiste possédant déjà une solide formation.

Après trois années de labeur acharné, le peintre écrit avec satisfaction à Joseph-Vincent Quiblier le 18 juin 1839:

> "J'ai le plaisir de vous annoncer que j'achève vos 14 tableaux de la Passion de N. Seigneur pour votre chemin de la Croix.
> J'espère vous transporter cet immense collection à Montréal vers le 15 aout."[27]

Les paroissiens de l'église Notre-Dame de Montréal devront finalement patienter davantage puisque Antoine Plamondon ne leur livrera pas, tel que prévu, son chemin de croix à l'été 1839. En effet, le 27 novembre de la même année, Le Canadien annonce l'"Exhibition de la Passion de N.S. Jésus-Christ en 14 tableaux de 8 pieds de large sur 5 de haut peint par Ant. Plamondon, Artiste", tenue "à la Garde Robe de la Chambre d'Assemblée pour quelques jours seulement." (fig. 7) Pour atteindre un

pedagogical period in the artist's career. Therefore, until 1841, he was teaching drawing at the Seminary of Quebec.[23] Moreover, from 1834 until May of 1838, he had two students in his studio, François Matte (1809-1839) and Théophile Hamel (1817-1870). The first was just finishing his apprenticeship.[24] As for Théophile Hamel, he would not leave Plamondon's studio until 1840,[25] after a six-year apprenticeship in which the master had contracted to, "...show and teach (him), during the said period, the art of painting and everything therein involved without hiding anything and to the extent that the said apprentice shows himself capable."[26] From this, we might seriously entertain the thought that Théophile Hamel closely collaborated on the execution of Notre-Dame's Way of the Cross suite. On the other hand, there is no doubt that Plamondon remained the sole master of this large project. A commission of such importance could not have been entrusted to any artist, except one whose training was solid and complete.

After three years of hard labor, the painter wrote with satisfaction to Joseph-Vincent Quiblier on June 18, 1839 that,

> "I have the pleasure of announcing the completion of your 14 paintings of the Passion of Our Saviour for your Way of the Cross.
> I hope to transport this enormous collection to Montreal around August 15."[27]

However, the parishioners of the Church of Notre-Dame de Montréal had to resign themselves to waiting a little longer, since Plamondon did not deliver his Way of the Cross in the summer of 1839, as intended. In fact, on November 27 of the same year, a public notice appeared in two Quebec City newspapers, the French Le Canadien and the English Quebec Mercury, announcing an "Exhibition of Paintings... of the Passion of our Saviour Jesus Christ, in fourteen Pictures, 8 feet by 5, by Ant. Plamondon, Artist," to be held "in the Ward-Robe of the House of Assembly, for a few days only " (figs. 7 and 8). We may assume that the artist used both papers in order to reach the largest possible public.

The editor of the Quebec Mercury strongly encouraged his readers to attend:

Fig. 9

August Köllner
Parliament House, Quebec Ca.
Aquarelle/Watercolour, 1848, 21,9 x 28,8 cm
Signé et daté en bas à gauche/Signed and dated at lower left:
"A Kollner draw from nature Oct. 19/1848"
Archives publiques du Canada/
Public Archives of Canada, Ottawa. C-13427

public le plus vaste possible, Plamondon fait également paraître la même annonce dans le *Quebec Mercury*, mais cette fois-ci en langue anglaise (fig. 8).

Le rédacteur du *Canadien* encourage fortement le public à se déplacer pour l'événement :

"Nous appelons l'attention particulière des amateurs et connaisseurs à l'annonce de l'Exposition des Tableaux Sacrés auxquels M. Plamondon vient de mettre la dernière main. Cet artiste déjà si avantageusement connu par les œuvres de son brillant pinceau, vient de mettre le sceau à sa réputation. Ce jeune Artiste Canadien a parfaitement répondu au choix qu'on a fait de lui pour l'ornement du plus bel édifice de toute l'Amérique Septentrional Britannique. M. Plamondon s'occupe de ce grand travail depuis trois ans. Cet œuvre, fait honneur au pays qui l'a produit (...) N'ayant ni le temps, ni l'espace, ni les connaissances nécessaires pour entrer dans un examen détaillé, nous laissons cette tache au public."[28]

C'est en des termes analogues que le rédacteur du *Quebec Mercury*, à son tour, fait part aux lecteurs de ses impressions.[29]

Devant des critiques aussi élogieuses, faut-il s'étonner de voir le public accourir nombreux à la "Garde Robe de la Chambre d'Assemblée", le grand vestiaire de l'édifice de style néo-classique érigé, à partir de 1831, sur l'emplacement de l'ancien palais épiscopal de Mgr de Saint-Vallier pour servir de parlement (fig. 9).[30] Alors que

"This young Artist has been for three years employed upon a series of Fourteen Paintings, illustrating the Passion of our Saviour Jesus Christ, and has completed his task in a manner highly creditable to his talents and to his industry... The subject of these pictures will be found in the advertisement of the exhibition to several of the late numbers of this paper: they are in general very happily treated, and there are some which really display superior talent and judgment. They are intended for the Paroisse in Montreal, and when they are hung in their destined places and in the light for which they have been especially painted, they will be handsome ornaments of the church for which they have been executed. The paintings are in the style of the French school, and considered as the works of a native artist, who enjoyed but for a very short period the opportunity of study in Europe and access to the splendid galleries in the capital of France, they reflect the highest credit on the taste, skill, and industry of the youthful painter."[28]

The editor of the French paper, *Le Canadien,* had a short time before expressed similar enthusiasm.[29]

Such eulogistic reviews make it understandable that a large public hurried to the Wardrobe of the House of Assembly, which was in fact the formal cloak-room of this neo-classic building; it had been constructed beginning in 1831 on the site of the old Episcopal Palace of Mgr. de Saint-Vallier, to serve as parliament buildings (fig. 9).[30]

l'exposition devait se terminer le 11 décembre,[31] "le nombre de visiteurs augmentent tous les jours", on doit la prolonger jusqu'au 17 du même mois.[32] Les amateurs d'art qui visitent l'exposition, à la vue des quatorze grands tableaux de Plamondon, ont dû en conserver une impression des plus favorables. L'un d'eux se permet d'ailleurs, par la voie des journaux, de faire connaître publiquement toute son admiration pour le travail de l'artiste. C'est ainsi qu'après une description louangeuse de chacune des stations, il termine en notant que:

> "(...) Si j'en avais le temps, j'y retournerais encore, pour y découvrir de nouvelles beautés, et pour arracher à l'artiste les secrets de son désolant pinceau. On ne peut trop voir et revoir cette belle collection, presque certain qu'une semblable occasion ne s'offrira pas de sitôt."[33]

Cet "Amateur" fait évidemment ici référence à la qualité des œuvres exposées plus qu'à l'événement lui-même, puisque, à partir du début du 19e siècle, ce type de manifestations est fréquent dans la ville de Québec.[34]

L'exposition du chemin de croix d'Antoine Plamondon à la Chambre d'Assemblée à la fin de l'année 1839 s'avère un événement des plus marquants dans la carrière de cet artiste. Si l'on excepte quelques expositions d'atelier, il s'agit pour lui d'une première tentative de cette envergure. Les moyens déployés — salle prestigieuse, publicité orchestrée, prix d'admission — prouvent bien d'ailleurs toute l'importance qu'il accorde lui-même à cette exposition. La réaction unanimement favorable de la presse locale et du public en général, couronnement de trois années de labeur, a dû procurer au peintre la plus vive des satisfactions. Il est alors facile d'imaginer quelle dut être sa consternation d'apprendre, au moment même où les journaux annonçaient la prolongation de son exposition, que le supérieur des Sulpiciens se voyait obligé de lui refuser ses tableaux!

The exhibition was to have closed on December 11,[31] but as "the number of visitors increased daily", it was extended to the 17th.[32] Art connoisseurs attending the exhibition must have been very impressed by the sight of Plamondon's fourteen large paintings. One even made public his admiration of the artist's work in the papers. After a long description lauding each of the Stations, he concluded by noting that:

> "...If I had the time I would return again, to discover new beauties and to tear from the artist the secrets of his grieving brush. It is impossible to see too much of this beautiful collection, as it is almost certain that a like occasion will not soon present itself."[33]

It is clear that this "Amateur" is referring to the quality of the works on exhibition and not to an art exhibition in itself, since we know that from as early as the beginning of the nineteenth century, this type of exhibition was common in Quebec City.[34]

Antoine Plamondon's exhibition of the Way of the Cross in the House of Assembly at the end of 1839 was an exceptional event in his career. Except for a few studio exhibitions, this was a true première of his work before the public. The means used — a prestigious location, carefully orchestrated publicity, admission fees — also prove how much importance he attached to the event. The unanimous favorable response of the press and the general public which crowned the three years of labor he had devoted to this colossal undertaking must have given him great satisfaction. It is therefore easy to imagine his shock and dismay on learning, at the very moment that the papers were announcing the extension of his exhibition due to popular demand, that the Sulpicien Superior felt obliged to reject the paintings!

2. Un refus déconcertant pour Plamondon

Bien que le document en question ne nous soit malheureusement pas parvenu, nous savons que c'est par une lettre datée du 7 décembre 1839 que Joseph-Vincent Quiblier — après avoir vu les œuvres ou du moins en avoir obtenu une description assez juste — annonce au peintre Antoine Plamondon que des raisons d'orthodoxie religieuse l'empêchent d'accepter son chemin de croix.[35] On peut d'ailleurs supposer que le peintre pressentait un tel refus. Comment expliquer en effet le retard apporté à la livraison des tableaux? Quoi qu'il en soit, devant l'éclatant succès remporté lors de l'exposition de son chemin de croix à la Chambre d'Assemblée de Québec, Plamondon possède un excellent prétexte pour tenter de convaincre Quiblier de revenir sur sa décision.

> « Cette collection à emporté les suffrages les plus grands et les plus universelles à québec, toutes les principalles familles anglaise et française l'avisiter, pendant l'Exhibition que j'ai été obligéz de prolongez durant trois semaine de temps. Nous avons vue un grand nombre de personnes, verser des larmes devant un Jésus au jardins des Olives, — soufleter chez Caïf, — flageller, — couronné d'épines, — &c. &c... »[36]

Il ne s'agit là que d'un des arguments contenus dans une longue lettre adressée par le peintre à M. Quiblier le 16 décembre 1839 afin de contester la décision de ce dernier. Comme il nous apparaît essentiel dans cette affaire de bien cerner la position respective des deux protagonistes, nous tenons d'abord à brosser un bref historique du chemin de croix avant d'aborder la question du refus des tableaux d'Antoine Plamondon.

La légende veut que le chemin parcouru par le Christ durant sa Passion ait été soigneusement relevé dès les premiers temps du christianisme. Nous savons que sous l'empereur Constantin, au 4e siècle, les Chrétiens ont

2. A Disconcerting Refusal for Plamondon

Although this key document has unfortunately not come down to us, we know that in a letter dated December 7, 1839, Joseph-Vincent Quiblier — who, after having seen the works or at least having been given a fairly precise description of them — let Plamondon know that for reasons of religious orthodoxy, he was forced to refuse his Way of the Cross.[35] It is possible to believe that the artist had some foreboding of such a refusal, which might explain his delay in delivering the paintings. In any case, the striking success of the exhibition of the works in Quebec City's House of Assembly furnished Plamondon with an excellent pretext for trying to convince Quiblier to revoke his decision:

> "This collection has received the approval of a wide and very numerous public in Quebec City, all the principal French and English families have seen it, during the three-week Exhibition that I was obliged to prolong. We saw a great number of people weep before Jesus in the Garden of Olives — the slap before Caiaphas — the Flagellation — the crown of thorns, &c.&c..."[36]

This is one of the arguments contained in a long letter of December 16, 1839, from the painter to the client contesting the former's decision. As we feel it essential to clarify the respective positions of the two protagonists, we will discuss briefly here the history of the theme of the Way of the Cross before broaching the Plamondon controversy.

From the earliest days of Christianity, legend has it that Christ's path during his Passion had been carefully marked. We know that under the Emperor Constantine, in the fourth century, Christians in the Holy Land began to construct sanctuaries to indicate the exact position of the spots where the last episodes of Jesus' life took place.[37] The pilgrims, on their return from Jerusalem,

construit des sanctuaires pour bien marquer l'emplacement exact des lieux où s'étaient déroulés les derniers épisodes de la vie du Christ.[37] Les pèlerins, à leur retour de Jérusalem, prendront peu à peu l'habitude de reproduire, ou du moins de rappeler de quelque façon, les lieux ainsi vénérés. Pourtant, ce n'est véritablement qu'à partir du 16e siècle, avec la publication de manuels de dévotion destinés à vulgariser la pratique des "pèlerinages spirituels", que s'implantera peu à peu la tradition d'un chemin de croix en quatorze stations.[38] Largement propagé par les Franciscains[39] et marqué d'une série d'ordonnances papales remontant aux 17e et 18e siècles,[40] le chemin de croix adopte finalement la forme qu'on lui connaît aujourd'hui.

Cette pratique religieuse que l'on nomme "Via Crucis" (ou "Chemin de la Croix") doit être considérée dans son essence comme "(...) le chemin figuratif de celui que fit Notre-Seigneur chargé de sa propre croix."[41] Pour représenter ce chemin, "(...) autant qu'il est possible, on place de distance en distance des tableaux; ou bien on met (...) des peintures et sculptures qui nous montrent le Sauveur montant au Calvaire, selon les différentes stations que son épuisement lui fit faire dans ce long et pénible voyage."[42] Si cela ne peut se faire, "(...) on peut se servir de simples croix pour désigner les stations, qui doivent nécessairement être au nombre de 14."[43] Pour le plus grand profit de tous, cet exercice de piété peut se faire "ou solennellement, ou en particulier."[44] Il est à noter que "quelque près que soient les tableaux les uns des autres, tous ceux qui assistent au Chemin solennel de la Croix, ou qui le font en particulier, doivent se lever après chaque station pour se remettre à genoux dans une autre place."[45] Retenons également qu'au cours de l'exercice du chemin de croix, "(...) il n'y a aucune prière prescrite comme étant d'obligation. Il suffit de méditer sur la passion en allant d'une station à l'autre."[46] Terminons enfin en ajoutant qu'en "(...) ce qui regarde le temps de faire le Chemin de la Croix, il n'y a rien de fixe à ce sujet; et quoique le vendredi, étant le jour où notre divin Sauveur fit réellement ce chemin douloureux, semble devoir être préféré, on peut néanmoins gagner également les indulgences aux autres jours, et même plusieurs fois par jour, si plusieurs fois on le réitérait."[47] Voilà ramenée à l'essentiel la forme définitive sous laquelle cet exercice de piété "si solide, si excellent, si

little by little adopted the practice of reproducing, or noting in some way the venerated Stations. However, it was really not until the sixteenth century, with the publication of devotional books and manuals intended to popularize the practice of "spiritual pilgrimages", that bit by bit the tradition of a Way of the Cross of fourteen Stations was established.[38] Largely propagated by the Franciscans,[39] the Way of the Cross took on its present form following a series of papal decrees in the seventeenth and eighteenth centuries.[40]

Even then, the religious practice called "Via Crucis" or "Way of the Cross" must be considered in its essence as "...the figurative Way that Our Lord took, carrying his own Cross."[41] To represent this Way, "as far as is possible, place at intervals paintings...; or else paintings and sculptures which show us the Saviour climbing Calvary, according to the different Stations or pauses his exhaustion made necessary in the long and painful journey."[42] If this is not possible, "...one can use simple crosses to designate the Stations, which must of necessity number 14."[43] For the greater profit of the practitioners, this exercise of piety may be made "in ceremony, or individually."[44] It is notable that, "However close the paintings are to one another, all those following a ceremony of the Way of the Cross, or who observe it alone, must stand up after each Station and kneel again in the next place."[45] We should especially note that, during the exercise of the Way of the Cross, "no prescribed prayer is necessary. It is sufficient to meditate on the Passion while moving from one Station to another."[46] We will conclude by adding that, "...as for the time required to observe the Stations of the Cross, nothing is fixed; and although Friday, which was the day our Divine Saviour actually followed this grievous path, and might be preferable, one may nevertheless win the indulgences on other days, or even several times a day, if the process is repeated."[47] This, pared to its essentials, is the definitive form of how the exercise of piety "...so solid, so excellent, so advantageous, and so easy", was practised in Lower Canada at the beginning of the nineteenth century.

It is only in fact by virtue of an "Apostolic Indult of January 23, 1820", that Mgr. Joseph-Octave Plessis, returning in 1822 from a visit to Rome, was authorized "...to establish in thirty places in the Diocese the pious

avantageux et si facile" qu'est le chemin de croix s'implante au Bas-Canada au début du 19e siècle.

C'est en vertu de "l'Indult Apostolique du 23 janvier 1820" que Mgr Joseph-Octave Plessis, de retour en 1822 d'un voyage à Rome, est autorisé "(...) à établir dans trente endroits du Diocèse le pieux exercice de la voie de la Sainte Croix, avec toutes et chacune des indulgences, en très grand nombre, accordées par autorité Apostolique à ceux qui remplissent cet exercice."[48] L'évêque du diocèse de Québec — qui englobait à l'époque les territoires du Nord-Ouest et la grande région de Montréal — ne manque d'ailleurs pas d'encourager fortement "cette sorte de dévotion si recherchée en Europe."[49] Chacun "désirant de jouir des avantages Précieux de la dévotion du chemin de croix",[50] les suppliques adressées à l'évêque à cet effet se multiplient.[51] Ainsi, pour le seul diocèse de Montréal nouvellement constitué, on compte déjà en 1841 des chemins de croix dans au moins "quatre-vingt douze lieux divers."[52] La nouvelle dévotion sort en effet rapidement du cadre de l'église paroissiale pour s'implanter tant chez les communautés religieuses que dans les écoles, les asiles, les hôpitaux et les cimetières. L'érection de chaque nouveau chemin de croix semble invariablement soulignée par une cérémonie d'inauguration solennelle.[53]

Bien que seules quatorze croix en bois soient essentielles pour l'exercice du chemin de croix,[54] on importe assez tôt d'Europe des chemins de croix gravés[55] ou peints[56] afin de pouvoir plus facilement "frapper les sens et l'imagination" des fidèles qui s'adonnent à cette dévotion. Dans un tel contexte, il n'est pas étonnant que le peintre James Bowman s'inspire en 1834 de gravures importées pour réaliser le premier chemin de croix destiné à l'église Notre-Dame de Montréal.[57] L'échec de cette tentative oblige, on le sait, Quiblier à commander un nouveau chemin de croix au peintre Antoine Plamondon en 1836. Bien que le peintre ait reçu des indications très précises quant à la dimension des œuvres à réaliser,[58] on peut penser que devant la notoriété de l'artiste, le commanditaire lui aurait laissé une grande liberté sur le choix de ses sources. Quiblier a sans doute alors supposé que Plamondon s'inspirerait nécessairement d'une des séries de gravures du chemin de croix alors en circulation.

exercise of the Way of the Holy Cross, with each and every indulgence, in very great numbers, accorded by the Apostolic authorities to those who carry out this exercise."[48] The Bishop of the Quebec Diocese — which at that period included the Northwest Territories and greater Montreal — should, moreover, not fail to strongly encourage, "this kind of devotion, so sought after in Europe."[49] Since the faithful in general were "desirous of enjoying the Precious advantages of devotion to the Way of the Cross",[50] requests to the Bishop on this subject increased.[51] Thus, in the newly constituted Diocese of Montreal alone, there were at least "ninety-two diverse locations"[52] of the Way of the Cross erected by 1841. Moreover, the new practice emerged very quickly from the parish churches, to be used in convents, schools, retreats, hospitals and cemetaries. The erection of each new Way of the Cross was solemnized by an inauguration ceremony.[53]

Although only fourteen wooden crosses were necessary for this ritual,[54] engravings were quickly imported from Europe,[55] as well as paintings[56] representing different episodes in Christ's Passion, from the Condemnation to the Entombment, in order to better "strike the senses and the imaginations" of the faithful. It was therefore logical that in 1834 the artist James Bowman should be inspired by such engravings when he produced the first Station of the Cross intended for the Church of Notre-Dame de Montréal.[57] The failure of Bowman's attempt obliged Quiblier to commission the new Way of the Cross from Antoine Plamondon in 1836. Although Quiblier had furnished the painter with precise indications concerning the size of the works to be produced,[58] we may believe that the artist's fame led Quiblier to accord him a good deal of liberty in his choice of sources. The Superior probably assumed that Plamondon would use one of the series of engravings of the Stations of the Cross then in circulation.

This had always been the artist's intention, but he was unable to finally resign himself to it, as he wrote in his December 16, 1839 letter to Quiblier:

"Now, Sir, I am very sorry to have to tell you, but I could never set myself to make you a Way of the Cross as you had asked me, Because, all the Ways of the Cross I have seen, in Montreal as well as in

Bien qu'il ait envisagé cette solution, Plamondon ne put s'y résoudre, ainsi qu'il l'apprend à Quiblier dans sa lettre du 16 décembre 1839 :

"Maintenant, Monsieur, je suis bien fachez de vous le dire, mais je ne pourrez jamais me déterminer à vous faire un chemin de la croix tel que celui que vous me demander, Parceque, tous les chemins de la croix que j'ai vue, tant à Montréal qu'à québec, ainsi que ceux que j'ai fait venir moi-même de france, Ce sont toutes dije des compositions ridicule, tant paraport à la disposition des personnages, qu'au dessin et à l'expression des figures (...)"[59]

Un tel jugement de valeur pour des œuvres datant tout au plus du 18e siècle — c'est à cette époque, rappelons-le, que le chemin de croix apparaît dans sa forme définitive — ne doit pas nous surprendre de la part d'un artiste dont la formation académique européenne puise dans la production des maîtres des 15e et 16e siècles.[60] C'est donc tributaire de cette formation qu'Antoine Plamondon réalise les quatorze tableaux de son chemin de croix, en reprenant pour les adapter différentes compositions du Titien (1490-1576), de Cardi (1559-1613), Poussin (1594-1665), Stella (1596-1657), Mignard (1612-1695) et Jouvenet (1644-1717).[61] On s'explique alors facilement l'écart considérable entre son chemin de croix et celui qu'une tradition encore récente vient d'imposer (voir tableau à la page 39).

S'adressant toujours à Quiblier, Plamondon ne s'en prend d'ailleurs pas qu'aux qualités plastiques des chemins de croix dont il aurait pu s'inspirer :

"Une forte raison qui devrait vous faire renoncer à faire faire l'ensien chemin de la croix, c'est qu'il y a trois ou quatre sujet qui ne sont pas dutout historique, et qu'il y en a six ou sept qui produisent absolument le même effet, — c'est adire que, sesont tous des portecroix."[62]

On comprend qu'à "un aussi grand nombre de tableaux d'une monotonni si affreuse", Plamondon oppose avantageusement son chemin de croix "qui est composer que de sujets historiques et de la plus grande piété." Sur ce dernier point, le peintre montre une connaissance approfondie des récits évangéliques qui relatent la Passion du Christ, puisque nous savons que

Quebec City, as well as those I brought myself from France, they are all... ridiculous compositions, as much by the disposition of the figures, as by the drawing and the expression of the figures..."[59]

Such an aesthetic judgement against works dating from at most the eighteenth century (it was only at this period, we must remember, that the Way of the Cross appeared in its definitive form) should not be surprising, coming from an artist whose European academic training taught him to look to the masters of the fifteenth and sixteenth centuries.[60] We may therefore attribute to his training the fact that Plamondon took up and adapted various compositions by Titien (1490-1576), Cardi (1559-1613), Poussin (1594-1665), Stella (1596-1657), Mignard (1612-1695) and Jouvenet (1644-1717).[61] This also explains why there was such a gulf between Plamondon's Way of the Cross and those of a still-recent tradition (see Table, p. 39).

Still addressing Quiblier, Plamondon did not, however, criticize the aesthetic quality of the Ways of the Cross suites he could have used as inspiration:

"A good argument, which should make you renounce the creation of the old Way of the Cross, is that there are three or four subjects which are not at all historical, and there are six or seven which produce absolutely the same effect — that is to say they all show the carrying of the cross."[62]

To "such a great number of paintings of such awful monotony", Plamondon contrasts to advantage his Way of the Cross, "which is composed only of historical subjects of the greatest piety." On this last point, the artist showed a deep knowledge of the Gospels relating the Passion of Christ, as we know that the episodes in which Christ meets Mary, the story about Veronica and Jesus' three falls are all legendary, and recent additions.[63] On the contrary, every one of Plamondon's works finds its justification in the Bible, a fact which is also well in evidence in the notice for the exhibition of paintings in the Quebec City House of Assembly (fig. 8). By basing his work on papal decrees concerning the practice of the devotion of the Way of the Cross, Plamondon is able to make the pertinent remark to his correspondent that:

"...paintings are not necessary to establish a Way of the Cross, but 14 crosses sculpted in relief are an

TABLEAU/TABLE

CONCORDANCES ENTRE LES STATIONS DU CHEMIN DE CROIX TRADITIONNEL ET CELUI D'ANTOINE PLAMONDON
CONCORDANCE BETWEEN THE TRADITIONAL STATIONS OF THE CROSS AND THOSE BY ANTOINE PLAMONDON

Chemin de croix traditionnel *Traditional Stations*			Chemin de croix d'Antoine Plamondon *Antoine Plamondon's Stations*
		I	L'Agonie au jardin des Oliviers *The Agony in the Garden of Olives*
		II	"L'Arrestation de Notre-Seigneur" *The Arrest of Christ*
		III	"Le Soufflet devant le grand-prêtre" *The Slap before the High Priest*
		IV	"Le Reniement de saint Pierre" *The Denial of St. Peter*
		V	"Jésus recouvert de la robe des fous" *Jesus Dressed in the Robe of Fools*
		VI	"Le Christ à la colonne" *Christ at the Column*
		VII	"Le Couronnement d'épines" *The Crown of Thorns*
		VIII	"Ecce Homo" *"Ecco Homo"*
Jésus est condamné à mort *Jesus Condemned to Death*	I	IX	Pilate se lave les mains *Pilate Washing his Hands*
Jésus est chargé de sa croix *Jesus Given the Cross*	II		
Jésus tombe pour la première fois *Jesus Falls for the First Time*	III		
Jésus rencontre sa Mère *Jesus Meets his Mother*	IV		
Jésus est aidé par Simon de Cyrène *Jesus is Helped by Simon of Cyrene*	V	X	"Jésus sur le chemin du Calvaire" *Jésus on the Road to Calvary*
Véronique essuie le visage de Jésus *The Meeting with St. Veronica*	VI		
Jésus tombe pour la deuxième fois *Jesus Falls for the Second Time*	VII		
Jésus rencontre les femmes de Jérusalem *Jesus Meets the Women of Jerusalem*	VIII		
Jésus tombe pour la troisième fois *Jesus Falls for the Third Time*	IX		
Jésus est dépouillé de ses vêtements *Jesus' Clothes are Taken*	X		
Jésus est mis en croix *Christ Crucified*	XI	XI	Jésus mis en croix *Christ Crucified*
Jésus meurt sur la croix *Jesus Dies on the Cross*	XII	XII	"Le Calvaire" *Calvary*
Jésus est détaché de la croix *The Descent from the Cross*	XIII	XIII	"La Déposition de croix" *The Deposition from the Cross*
Jésus est mis au tombeau *Jesus is Placed in the Tomb*	XIV	XIV	"La Mise au tombeau" *The Entombment*

des épisodes tels que la rencontre de Marie, l'anecdote de Véronique et les trois chutes de Jésus, tous inspirés de la légende , ne s'imposent que tardivement.[63] Chacune des œuvres de Plamondon trouve au contraire sa justification dans la Bible, comme le démontre clairement l'annonce de l'exposition de ses tableaux à la Chambre d'Assemblée à Québec (fig. 7). Se basant sur les ordonnances papales quant à la dévotion au chemin de croix, l'artiste fait de plus remarquer à Quiblier que:

> "(...) les tableaux ne sont pas nécesserent pour établir un chemin de la croix, mais 14 croix sculpté en relièfe, sont d'une nécessité absolut. On peut donc faire un chemin de la croix qu'avec 14 croix seulement, si on peut le faire ainsi, on est donc maître de mettre au dessous de chaqu'une de ces croix un tableau de la Passion du Sauveur (...) d'autant-plus que les Papes ont ordonné de méditer sur la Passion, pour gagner les indulgence du chemin de la croix."[64]

Antoine Plamondon espère sans doute par cette argumentation érudite amener Quiblier à revoir ses positions. Le supérieur des Sulpiciens s'était toutefois enquis auprès de Rome avant de faire connaître au peintre son refus[65] et on comprend dès lors qu'il ne pouvait d'aucune façon revenir sur sa décision.[66] Quiblier peut tout au plus suggérer au peintre de reprendre en partie son travail, remplaçant par de nouvelles œuvres les huit tableaux de son chemin de croix jugés litigieux (voir tableau à la page 39). Même s'il songe d'abord à revendre les œuvres[67] — une opération qui aurait pu le discréditer en mettant en évidence le refus de Quiblier —Plamondon doit finalement accepter ce compromis. En attendant, le peintre conserve les quatorze tableaux à son atelier, bien que son départ de l'Hôtel-Dieu au printemps de l'année 1841 l'oblige à expédier les œuvres à Montréal où, croit-il, on sera mieux en mesure de leur assurer une conservation adéquate.[68] Une fois livrés à Montréal, les quatorze tableaux doivent être entreposés dans le chemin couvert reliant le Séminaire Saint-Sulpice à l'église Notre-Dame[69] "en attendant les 8 autres qui doivent suivre."[70]

absolute necessity. One might thus make a Way of the Cross with 14 crosses only, if one may do this, one is thus allowed to put below each of these crosses a painting of the Passion of Christ... that, much more since the Popes have ordered meditation on the Passion, to win the indulgences of the Way of the Cross."[64]

Antoine Plamondon must have hoped that his erudite arguments would make Quiblier reassess his decision. However, the Sulpicien Superior, who referred to the Sacred Congregation of the Rites of Rome before giving the artist his final refusal,[65] had no choice but to retain his original position.[66] The most he could suggest was that the artist go back to work and replace the eight paintings in contention with new works (see Table, p. 39). Even though he at first planned to resell the works[67] — an act which would have discredited him by drawing attention to Quiblier's refusal — Plamondon finally had to accept this compromise. In the meantime, he still had the fourteen paintings in his studio, although his departure from Hôtel-Dieu in the spring of 1841 had obliged him to send the works to Montreal, where he thought they would be better stored.[68] Once in Montreal, however, the fourteen paintings had to be placed in the covered walkway connecting the Sulpicien Seminary to the Church of Notre-Dame,[69] "awaiting the 8 others which would follow."[70]

3. Un chemin de croix importé de Rome pour l'église Notre-Dame de Montréal

Contre toute attente, Antoine Plamondon ne reprendra jamais les huit stations de son chemin de croix jugées non-orthodoxes. S'est-il laissé aller au découragement devant l'ampleur de la tâche à accomplir ou est-il seulement trop occupé ailleurs pour consacrer de nouvelles énergies à ce travail considérable?[71] N'est-ce pas plutôt que le supérieur des Sulpiciens, fatigué d'attendre et pressé de voir les paroissiens de Notre-Dame s'adonner enfin à la dévotion au chemin de croix,[72] a suggéré à Plamondon d'abandonner cette entreprise? On ne sait trop. Quoi qu'il en soit, dès le début de l'année 1843, Quiblier s'en est remis à M. Jean-Baptiste Thavenet, un Sulpicien français alors établi à Rome mais ayant vécu plus de vingt ans au Canada, pour le choix d'un artiste italien susceptible de répondre enfin aux attentes de la fabrique de Notre-Dame.[73]

Le choix de Thavenet se porte sur le peintre Giovanni Silvagni (1790-1853), professeur titulaire de peinture et vice-président de l'Académie de Saint-Luc.[74] C'est ainsi qu'on peut lire dans *La Revue Canadienne* du 29 janvier 1847:

> "Les souscripteurs aux tableaux du *Chemin de la Croix* commandés à Rome par M. Quiblier, il y a environ deux ans, apprendront avec plaisir que ces tableaux viennent d'arriver à Boston par le steamer *Hibernia,* et qu'on les attend incessamment dans notre ville. Ils sont au nombre de quatorze (...) faits par un artiste éminent de Rome, et copiés pour la plupart d'après les dessins des grands maîtres. Ce sera la collection la plus considérable et la plus précieuse que nous ayons encore eue dans ce pays: ces tableaux sont destinés pour notre église paroissiale, et seront appuyés, nous dit-on, sur la balustrade du jubé inférieur, entre chaque colonne. Nous nous réjouissons donc de ce que la trop grande nudité de l'intérieur de notre temple va disparaître sous de riches peintures, et nous

3. A New Way of the Cross for the Church of Notre-Dame de Montréal Imported from Rome

Despite this understanding, Antoine Plamondon was never to finish the eight contested paintings of his Way of the Cross. Perhaps he was overwhelmed and discouraged by the enormity of the job, or perhaps he was simply too busy with other matters to put his energy into this repetition.[71] Perhaps the Sulpicien Superior, tired of the endless waits and anxious to see the parishioners of Notre-Dame finally supplied with a Way of the Cross,[72] even suggested that he abandon the undertaking. We do not in fact know exactly why, but whatever the case, in 1843 Quiblier was applying to M. Jean-Baptiste Thavenet, a French Sulpicien living in Rome who had spent more than twenty years in Canada, to select an Italian artist capable of finally fulfilling the expectations of the Corporation of Notre-Dame.[73]

Thavenet's choice was the painter Giovanni Silvagni (1790-1853), professor of painting and Vice-President of the Academy of St. Luke.[74] We read in *La Revue Canadienne* of January 29, 1847, that,

> "Subscribers to the paintings of the *Way of the Cross* ordered by M. Quiblier from Rome around two years ago, will be pleased to know that these paintings have just arrived in Boston on the steamer *Hibernia,* and that we may expect them in this city any time now. There are fourteen works ... created by an eminent Roman artist, and copied for the most part from drawings by the greatest masters. This will be the largest and most precious collection that we have in this country to date; the works are destined for our parish church, and will be hung, we are told, on the balustrade of the lower jubé (rood-loft), between each column. We therefore rejoice that the present nakedness of the interior of our temple will be clothed with rich paintings, and hope that this *Way of the Cross* will be inaugurated soon and available to the piety of the faithful.

espérons que ce *Chemin de la Croix* sera bientôt inauguré et ouvert à la piété des fidèles.

On se rappele que notre compatriote, M. Plamondon de Québec avait exécuté, ces années dernières, un *chemin de la croix* pour notre église; et nous avons toujours regretté que, soit par erreur, ou faute de directions suffisantes, cet artiste ait introduit dans sa série de tableaux quelques sujets qui ne s'accordaient point avec les stations prescrites dans le livre du *chemin de la croix*, ce qui a été cause, nous dit-on, que son *chemin* n'a pu être admis par les autorités ecclésiastiques, malgré les démarches pressantes prises à cet effet; et nous le regrettons d'autant plus que la plupart de ces tableaux étaient, au dire de connaisseurs, d'un mérite peu ordinaire. Espérons que l'on n'aura pas le même reproche à faire à celui qui nous vient d'arriver."[75]

Retenus à Boston tout l'hiver à cause du trop grand froid qui aurait pu les endommager lors du transport,[76] les tableaux ne parviennent à Montréal qu'au mois de mai 1847.[77] On doit encore les faire encadrer avant de pouvoir les accrocher dans l'église.[78] Exactement à la même époque, la fabrique fait don à la nouvelle église Saint-Patrick des "(...) Tableaux faits par M. Plamondon pour un chemin de la croix et qui n'ont pu servir parce qu'ils n'étaient pas faits suivant les règles de l'église, lesquels Tableaux sont maintenant dans le Chemin Couvert du Séminaire."[79]

Au début du mois de décembre 1847, soit treize ans après la première commande faite au peintre américain James Bowman, l'église Notre-Dame de Montréal peut enfin inaugurer son chemin de croix. Après tant d'années d'efforts, la fabrique eut été en droit de recevoir des félicitations. Ce n'est pourtant pas le cas car ce qui devait être "la collection la plus considérable et la plus précieuse que nous ayons encore eu dans ce pays" ne suscite que déceptions et critiques acerbes (fig. 10). Le rédacteur de *La Revue Canadienne* est l'un des premiers à dénoncer la piètre qualité du nouveau chemin de croix:

"Dimanche dernier a eu lieu l'inauguration de ce chemin, dans notre église paroissiale. C'est une touchante cérémonie, que les fidèles attendaient,

We remember that our compatriot, Mr. Plamondon of Quebec City, executed, a few years ago, a *Way of the Cross* for our Church; and we have always regretted that, due to error or insufficient direction, the artist introduced in his series of paintings several subjects which did not at all accord with the prescribed Stations in the book *The Way of the Cross,* which is the reason, we are told, why his suite was not able to be admitted by the ecclesiastical authorities, despite urgent efforts made on their behalf, and we regret even more that most of these paintings were, the cogniscenti say, of a value beyond the ordinary. Let us hope that the same reproaches will not be made against those which have just arrived."[75]

Held at Boston because of severe cold which could have damaged them during transport,[76] the paintings did not arrive in Montreal until May of 1847.[77] They then had to be framed before they could be hung in the Church.[78] At precisely the same period, the Corporation presented the new Church of St. Patrick's with "...paintings made by Antoine Plamondon for a Way of the Cross and which could not be used because they were not made according to the rules of the Church, the said Paintings are now in the covered walkway of the Seminary."[79]

At the beginning of December of 1847, that is thirteen years after the first commission was awarded to the American artist James Bowman, the Church of Notre-Dame de Montréal finally inaugurated its Way of the Cross. After so many years of effort, the Corporation deserved congratulations. It did not get any, however, and what had promised to be "the largest and most precious collection that we have in this country to date" only inspired disappointment and bitter criticism (fig. 10). The editor of *La Revue Canadienne* was one of the first to attack the new Way of the Cross:

"Last Sunday this suite was inaugurated in our parish church. It was a moving ceremony, for which the faithful had waited a long time, with impatience. Unfortunately, the satisfaction of seeing the Way of the Cross hung was mixed with great discontent and general regret. The paintings composing the suite could not be worse; the figures forming the groups are out of proportion,

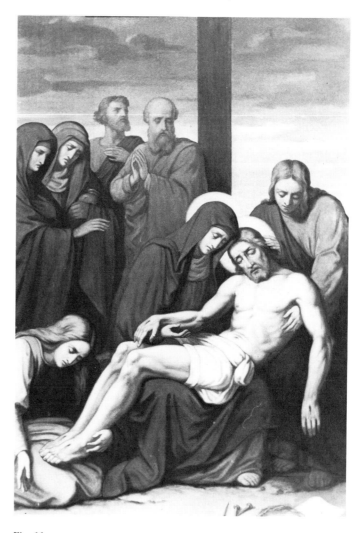

Fig. 10

Giovanni Silvagni
Jésus rencontre les femmes de Jérusalem/
Jesus Meets the Women of Jerusalem
Huile sur toile/Oil on canvas
Vers 1845/Around 1845, 335,5 x 218,4 cm
Archevêché de Montréal/Archdiocese of Montreal

Fig. 11

Anonyme/Anonymous
La Déposition de croix/The Deposition from the Cross
Huile sur toile/Oil on canvas
Vers 1870/Around 1870, 232 x 150 cm
Église Notre-Dame de Montréal/
Church of Notre Dame de Montréal

depuis longtemps, avec impatience. Malheureusement à la satisfaction de voir le chemin de croix érigé se mêlait un grand mécontentement et un regrèt général. Les tableaux qui le composent sont on ne peut plus mal faits; les figures, qui forment les groupes sont hors de proportion, barbouillées sans goût ni talent, enfin plusieurs des personnages de ces tableaux sont parfaitement difformes. À qui peut-on avoir confié ces ouvrages? sans doute à quelque misérable *rapin*, sans capacité ni étude des règles de l'art. Nous avons d'autant plus raison de nous plaindre de ceux qui ont commandé ces tableaux pour notre église, qu'il n'était pas nécessaire de les faire venir d'Europe. Nous avons en Canada des artistes capables de faire d'excellents tableaux d'église, MM. Plamondon, Hamel, Légaré. N'était-il pas mieux d'encourager ces artistes du pays que de doter notre église de pareilles croutes?"[80]

Paraît simultanément dans le journal *L'Aurore des Canadas* la lettre d'un lecteur déçu:

"Depuis que les nouveaux tableaux du chemin de la croix sont dans l'église paroissiale, on se demande s'il était nécessaire de les faire venir de l'autre côté de l'océan lorsqu'il se trouve dans le pays plusieurs artistes tels que M.M. Plamondon, Hamel, Légaré. Lorsqu'entre autres on peut voir du premier ceux qui sont dans l'Église St. Patrice (...)"[81]

Ces remarques négatives sont sûrement peu appréciées mais devant l'unanimité des attaques qui fusent de toutes parts,[82] la fabrique doit bientôt en reconnaître le bien-fondé. Pour remédier à cette situation embarrassante, on va même jusqu'à demander au supérieur des Sulpiciens en décembre 1857 "(...) de voir si l'on pourrait échanger les chemins de la Croix de la paroisse et de St. Patrice."[83] L'aboutissement de cette démarche quelque peu étonnante aurait dans les faits équivalu à une réhabilitation de l'œuvre de Plamondon jugée inacceptable moins de vingt ans plus tôt. Tel n'en est pourtant pas le cas puisqu'on se contente simplement de désencadrer les tableaux tant controversés pour les poser à plat sur les murs afin, peut-être, d'en atténuer l'impact.[84] On imagine bien que cette intervention ne

garbled without taste or talent; in fact, several figures in these paintings are positively deformed. Who was entrusted with this work? Probably some miserable *paintdauber,* with neither competence nor training in the rules of art. We have even more reason to complain to those who commissioned these paintings for our church, that it was not necessary to have them come from Europe. Here in Canada we have artists capable of creating excellent religious paintings, Messieurs Plamondon, Hamel, Légaré. Would it not be better to encourage the artists of our country than to give our church such spatters?"[80]

Simultaneously, a letter from a reader in *L'Aurore des Canadas* expressed the same thoughts in other terms:

"Ever since these new paintings of the Way of the Cross were hung in the parish church, everyone wonders if it was necessary to bring them from across the ocean, when in this country we have several artists, such as Messieurs Plamondon, Hamel, Légaré. When among others we can see works by the first-named, in St. Patrick's Church..."[81]

The Corporation, no doubt, did not appreciate these ungracious remarks, but, in the face of unanimous attacks from all quarters,[82] it had no choice but to recognize that they were well-founded. It was therefore to remedy an embarrassing situation that the Sulpicien Superior was asked, in December of 1857, "...to see if he could exchange the Stations of the Cross of the parish with those of St. Patrick's."[83] The success of this astonishing project would, of course, have amounted to the complete rehabilitation of Plamondon's work, rejected as unacceptable less than twenty years before. It never came to pass, however, and the authorities contented themselves with simply taking the controversial paintings out of their frames and fixing them flat against the walls, in order, probably, to lessen their impact.[84] It is doubtful that such a minor modification would have satisfied anyone. In fact, Silvagni's Way of the Cross did not long escape the renovations undertaken by Pastor Benjamin-Victor Rousselot shortly after his posting to Notre-Dame in 1866.[85] During a visit to Europe in the summer of 1872, he brought back, among other objects, the present Way

pouvait satisfaire qui que ce soit. De fait, l'avenir du chemin de croix de Silvagni est bientôt compromis par les importants travaux de rénovation entrepris par le curé Benjamin-Victor Rousselot peu après son arrivée à la cure de Notre-Dame en 1866.[85] D'un séjour en Europe à l'été 1872, il ramène de Paris l'actuel chemin de croix (fig. 11) qui sera intégré au nouveau décor de Victor Bourgeau.[86] Quant aux tableaux de Silvagni, ils seront vendus à un marchand montréalais de qui les achètera la paroisse de Saint-Henri en 1885.[87]

of the Cross (fig. 11), which was integrated with Victor Bourgeau's new interior decoration.[86] As for Silvagni's paintings, they were sold to a Montreal dealer, who resold them in 1885 to the Parish of St-Henri.[87]

4. LE SORT RÉSERVÉ AU CHEMIN DE CROIX DE PLAMONDON

Inaugurée en 1847 afin de répondre à l'accroissement rapide de la communauté irlandaise de Montréal, l'actuelle église Saint-Patrick, de style néo-gothique,[88] ne devait pas échapper aux comparaisons avec l'église Notre-Dame:

"Comme elle est, elle est lourde et manque d'élégance. Cependant il ne faut pas en conclure que l'Église de Saint-Patrice (…) n'est pas un bel édifice. Placé à peu près sur le point le plus élevé de Montréal, la montagne exceptée, elle domine toute la ville. Si elle est bien moins large que l'église paroissiale, si la masse extérieure de cette dernière a plus de majesté, le nouveau temple l'emporte à l'intérieur par la hardiesse et l'élégante simplicité de ses formes, par la vie et par l'odeur du sentiment religieux qui vous saisit lorsque vous entrez sous cette voûte d'une belle nudité."[89]

Bien que le correspondant à Montréal du *Journal de Québec* — c'est de lui dont il s'agit ici — ne tarisse pas d'éloges sur le décor intérieur de la nouvelle église "qui fait honneur à la ville de Montréal et aux messieurs de St Sulpice qui ont si royalement contribué à l'élever", sa plus grande satisfaction est toutefois de retrouver en 1847 dans ces lieux le chemin de croix peint par Antoine Plamondon quelques années plus tôt pour l'église Notre-Dame de Montréal:

"Est-ce qu'en promenant mes yeux sur les murs de cette église, ils n'ont pas été agréablement surpris d'y trouver les quatorze tableaux de la Passion de notre artiste, M. Plamondon; je me retrouvais en face de beaux tableaux qui n'ont rien perdu de leur fraîcheur, et de la magnificence du coloris qui les avait fait tant admirer à Québec. Pourquoi donc les a-t-on laissés si longtemps dans un corridor obscur, en proie à l'humidité et à la détérioration, lorsque d'horribles croûtes couvrent les murs de presque toutes les églises de ce district, insultant à la majesté du lieu qu'on les destine à parer?"[90]

4. THE FATE OF PLAMONDON'S WAY OF THE CROSS

Inaugurated in 1847 in order to respond to the rapid growth of Montreal's Irish community, the present St. Patrick's Church, with its neo-gothic style,[88] could not escape comparisons with Notre-Dame:

"As it is, it is heavy and lacks elegance. However, one mustn't conclude that St. Patrick's… is not a handsome building. Placed almost on Montreal's highest point, excepting the mountain, it dominates all the city. If it is considerably smaller than the parish church, if the exterior of the latter is more majestic, the new temple has a finer interior, through the bravery and simple elegance of its form, by the life and odor of religious fervor which seizes you when you walk under a beautifully naked vault."[89]

Although the correspondent for the *Journal de Québec,* quoted above, did not stint in his praise for the interior decoration of the new church, "which does honour to the City of Montreal and to the Gentlemen of St. Sulpice who so generously contributed to its construction", his greatest satisfaction came from the pleasure of rediscovering in 1847 the Way of the Cross painted by Antoine Plamondon almost ten years earlier for the Church of Notre-Dame:

"While I was casting my eyes over the walls of this church, they were agreeably surprised to find the fourteen paintings of the Passion by our artist, M. Plamondon; I found myself again in front of these beautiful paintings, which have lost none of their freshness and the magnificence of colouring that made them so much admired in Quebec City. Why then have they been left so long in a neglected corridor, prey to humidity and deterioration, when horrible scabs (of paintings) cover the walls of almost all the churches in this district, insulting rather than adorning the majesty of their surroundings."[90]

On pourrait du moins s'étonner de ce que la fabrique de Notre-Dame ait refilé à l'église Saint-Patrick des tableaux qu'elle a elle-même jugés tout au plus dignes d'orner le chemin couvert reliant le Séminaire à l'église. Il faut pourtant se rappeler ici que les œuvres de Plamondon n'ont en aucun cas été jugées d'après leur valeur esthétique; elles ont été refusées uniquement pour des raisons d'orthodoxie liturgique. Rien n'empêchait par contre que ces mêmes tableaux puissent servir à des fins autres que celles auxquelles ils étaient destinés. Une telle éventualité se présentait avec la construction de la desserte de Saint-Patrick et, du même coup, la communauté catholique irlandaise de Montréal alors peu fortunée bénéficiait de la tournure des événements.

Transportés en juin 1847 à l'église Saint-Patrick "pour en décorer les murs",[91] puis encadrés,[92] les tableaux de Plamondon n'y peuvent toutefois, pas plus qu'à Notre-Dame, faire office de chemin de croix. Ce n'est d'ailleurs qu'en 1852 que le Révérend John Joseph Connoly fait parvenir à l'évêque de Montréal une supplique afin d'obtenir la permission "(...) d'ériger les stations du chemin de la Croix dans l'église de St. Patrice (...) afinque notre peuple (...) puisse avoir la consolation de faire ces Stations, et le bonheur de gagner les indulgences précieuses, qui y sont attachées."[93] Le curé Connoly s'est sans doute contenté de simples croix en bois[94] placées au-dessus des tableaux de la Passion de Plamondon, ce que l'artiste avait lui-même sans succès proposé à Quiblier de faire à l'église Notre-Dame.

On se souvient que la décision du supérieur des Sulpiciens de préférer un chemin de croix importé d'Europe aux tableaux de Plamondon avait été très mal accueillie. Les tableaux de ce dernier continuent d'ailleurs de susciter une admiration unanime. En 1857, on les cite volontiers en exemple alors qu'on s'explique mal la sous-représentation des peintres canadiens à une exposition tenue au Marché Bonsecours.[95] Quatre ans plus tard, c'est au tour du rédacteur du *Journal de l'Instruction publique* de souligner, en même temps que les travaux de décoration du chœur de Saint-Patrick, que cette église "(...) contient la plus belle suite de tableaux qu'il y ait dans le diocèse de Montréal, une *Passion* peinte par notre artiste canadien M. Antoine Plamondon, élève du célèbre Paulin Guérin."[96]

It does seem rather astonishing that the Corporation of Notre-Dame would have fobbed off on St. Patrick's the paintings it had judged to be suitable only for hanging in the Seminary walkway. It must be remembered, however, that Plamondon's works had never been condemned on aesthetic grounds; they had been refused uniquely because of a point of liturgical orthodoxy. Nothing therefore, prevented their being used for some other purpose than that for which they were created. The construction of St. Patrick's offered such an opportunity for good use, and at the same time, was a way of helping out the then-poor Irish Catholic community.

Transported in June of 1847 to St. Patrick's Church "to decorate the walls",[91] then framed,[92] Plamondon's paintings could not be used as a Way of the Cross there any more than they could at Notre-Dame. It was only in 1852 that Father John Joseph Connoly, parish priest, applied to the Bishop of Montreal to obtain permission "...to erect Stations of the Way of the Cross in St. Patrick's Church... in order that our people... may have the consolation of practicing this devotion, and the joy of gaining the precious indulgences which are attached to it."[93] Father Connoly was probably satisfied with simple wooden crosses[94] which were placed above Plamondon's paintings of the Passion, just as the artist had unsuccessfully suggested to Quiblier for the Church of Notre-Dame.

We remember that the Sulpicien Superior's decision in that case, to prefer a suite imported from Europe to Plamondon's works, was very badly received. Plamondon's works always continued to incite universal admiration. In 1857, they were readily cited as an example when the underrepresentation of Canadian artists at an exhibition held at the Bonsecours market was being discussed.[95] Four years later, reporting on the recent redecoration of the choir of St. Patrick's Church, it was the editor of the *Journal de l'Instruction publique*'s turn to remark that this church, ""...contains the most beautiful suite of paintings existing in the Diocese of Montreal, a *Passion* painted by our Canadian artist M. Antoine Plamondon, pupil of the celebrated Paulin Guérin.""[96]

Fig. 12

Antoine Patriglia
La Mise au tombeau/The Entombment
Huile sur toile/Oil on canvas, 1897 (?)
Env./Around 230 x 114,8cm
Église Saint-Patrick/St. Patrick's Church, Montréal

Entreprise en 1861, la rénovation de l'église Saint-Patrick se poursuit jusqu'au milieu des années 1890 pour englober l'ensemble du décor intérieur. Après avoir remplacé le maître-autel et les autels latéraux, refait la peinture et placé des vitraux aux fenêtres,[97] on songe à rafraîchir la nef. Sans vouloir rendre compte des nombreuses modifications qu'entraîne ce nouveau chantier, contentons-nous d'en souligner l'élément le plus remarquable: une boiserie de chêne, d'une hauteur de 3,5 à 4,5 mètres, qui encadre tout le nouveau décor intérieur de l'église. L'abbé Olivier Maurault note dans son historique de l'église Saint-Patrick que cette boiserie, en place en 1895[98] "(...) remplaça avantageusement les grands tableaux de Plamondon."[99] Bien que nous admettions d'emblée la magnificence de ces boiseries, nous ne pouvons qu'émettre des réserves sur le chemin de croix qu'on y a peu après intégré (fig. 12), encore que celui-ci ait été l'objet de retouches aussi malheureuses que radicales. Œuvre du peintre italien Ant. Patriglia,[100] le chemin de croix a été commandé par le père Louis-Guillaume Leclair alors qu'il était recteur du Collège canadien à Rome,[101] soit entre les années 1896 et 1900.[102] Il faut alors attendre le début des années 1930 pour entendre de nouveau parler des œuvres de Plamondon.

Dans son histoire de l'église Notre-Dame de Montréal publiée en 1929, Olivier Maurault admet ignorer où est alors conservé l'ancien chemin de croix commandé au peintre Antoine Plamondon par la fabrique de Notre-Dame et donné à l'église Saint-Patrick en 1847.[103] Lisant l'ouvrage de Maurault en 1947, le frère Florian V. Crête, conservateur du Musée de l'Institution des Sourds-Muets, juge opportun d'écrire à son collègue Paul Rainville du Musée du Québec pour l'éclairer sur le sort réservé aux fameuses toiles:

> "Six de ces tableaux se trouvent ici même à l'Institution des Sourds-Muets. Ils ont été obtenus de M. le curé McShane, de Saint-Patrice, vers 1933."[104]

De son côté, l'historien d'art Gérard Morisset connaissait l'emplacement des tableaux depuis 1935. Lors d'une visite à l'Institution des Sourds-Muets cette année-là, il a examiné les six tableaux de Plamondon, en a dressé les fiches techniques et en a fait une brève description. Le témoignage de Morisset nous apprend de plus que "(...) ces tableaux étaient dans le grenier de la sacristie de

The renovation of St. Patrick's, undertaken in 1861, continued until the middle of the 1890s, and extended little by little to all the interior decoration. After having replaced the high altar and side altars, repainted and installed stained glass in the windows,[97] work was begun on the nave. Without getting into the many modifications involved in this project, we must mention the most important: 3.5 to 4.5 meters high carved oak woodwork was brought in to cover the entire interior of the newly decorated church. The Abbot Olivier Maurault, in his history of St. Patrick's, notes that this woodwork, in place by 1895,[98] "...replaces to advantage Plamondon's large paintings."[99] We do not question the magnificence of this woodwork, but the present Way of the Cross, integrated with the new decoration shortly after, even though it seems to have been the object of some unfortunate and radical retouching, does inspire some reservations (fig. 12). The work of the Italian painter Ant. Patriglia,[100] it was commissioned by Father Louis-Guillaume Leclair when he was Rector of the Canadian College in Rome,[101] that is, between 1896 and 1900.[102] After this brief mention, we must wait until the beginning of the 1930s to again hear of Plamondon's Way of the Cross suite.

When he wrote his history of the Church of Notre-Dame de Montréal, published in 1929, Olivier Maurault admitted that he had no idea where the old Way of the Cross paintings commissioned from Antoine Plamondon and donated by the Corporation to St. Patrick's were then stored.[103] Brother Florian V. Crête, c.s.v., then curator of the Museum of the Institution des Sourds-Muets, read Maurault's book almost twenty years later, in 1947; he thought to write to Paul Rainville of the Musée du Québec on the subject:

> "Six of these paintings are here at the Institution des Sourds-Muets. They were obtained from Pastor McShane, of St. Patrick's, around 1933."[104]

The art historian Gérard Morisset had, however, been informed of these facts long before. As early as 1935, he had seen the six paintings of Plamondon's suite at the Institution des Sourds-Muets. Besides furnishing a summary technical sheet and a short description, Morisset wrote that, "...these paintings were in the attic of the Sacristy of St. Patrick's which is where the Superior of the Institution des Sourds-Muets saw them around 1932; he arranged that they be given to him."[105] This testimony, corraborated by Florian Crête's, is very precious today,

Saint-Patrice, c'est là que le Supérieur de l'Institut des Sourds-Muets les vit vers 1932; il se les fit donner."[105] Ce témoignage, corroboré par celui de Florian V. Crête, nous est aujourd'hui très précieux puisqu'il vient suppléer à une absence totale d'information sur les œuvres de Plamondon autant dans les archives de l'Institution des Sourds-Muets relevant des Clercs de Saint-Viateur que dans celles de la fabrique de Saint-Patrick.

Rappelons ici que bien que les Clercs de Saint-Viateur soient arrivés au Canada en 1847, ce n'est que vers les années 1910 qu'ils songent à s'établir boulevard Saint-Laurent, près du Parc Jarry. Les travaux de construction de l'actuel édifice débutent en 1913 et, à l'été 1921, l'Institution des Sourds-Muets ouvre ses portes. Parmi les modifications importantes apportées depuis lors à l'édifice, notons un réaménagement complet de l'intérieur entre 1960 et 1964.[106] C'est sûrement à la suite de ces travaux qu'en 1961 le Musée des beaux-arts de Montréal se voit offrir les six tableaux de Plamondon par l'entremise d'un rabatteur. Très intéressé par cette acquisition, le directeur de l'époque, Evan H. Turner, est alors pleinement conscient de l'importance des œuvres soumises à son attention:

> "In addition to the great quality of these paintings, they are a super example of the very active school of religious painting that one finds in the Province of Quebec in the first part of the nineteenth century."[107]

C'est ainsi qu'en décembre 1961, six des quatorze tableaux que comprenait à l'origine le chemin de croix peint par Antoine Plamondon entrent dans les collections du Musée des beaux-arts de Montréal.[108]

La découverte de ces six grands tableaux par Gérard Morisset en 1935, pour heureuse qu'elle fut, n'en posait pas moins avec acuité le problème de savoir ce qu'il était advenu des huit autres stations du chemin de croix initial. Voulant contribuer à résoudre l'énigme, Morisset a affirmé à Mgr Maurault que la sacristie de l'église de Neuville recelait quatre toiles ayant jadis fait partie du chemin de croix de Plamondon. Morisset avait inventorié le contenu de l'église en 1934 et se souvenait que quatre des vingt-deux tableaux de Plamondon qui s'y trouvaient pouvaient, par leurs sujets (une *Agonie au*

because it atones for the total lack of information on this affair in the Archives of the Institution des Sourds-Muets and of the Clerics of St. Viateur, as well as the Archives of the Corporation of St. Patrick's.

Although they arrived in Canada in 1847, it is only around 1910 that the Clerics of St. Viateur thought of establishing themselves on St. Lawrence Boulevard, near Jarry Park. The construction of their present edifice was begun in 1913, and in the summer of 1921 the Institution des Sourds-Muets opened its doors. Major renovations to this building since include the complete redecoration of the interior between 1960 and 1964.[106] This work was undoubtedly not unrelated to the fact that in 1961, through the intermediary of a dealer, The Montreal Museum of Fine Arts was offered the six Plamondon works for purchase. Extremely interested, Evan H. Turner, then Director of the Museum, immediately realized the importance of these works:

> "In addition to the great quality of these paintings, they are a superb example of the very active school of religious painting that one finds in the Province of Quebec in the first part of the nineteenth century."[107]

Thus, in December of 1961, six of the fourteen paintings comprising the original suite painted by Plamondon between 1836 and 1839 for the Church of Notre-Dame entered the collection of The Montreal Museum of Fine Arts.[108]

Gérard Morisset's discovery in 1935 of these six large paintings, happy as it was, only serves to increase our desire to know what became of the eight others. Morisset himself tried to resolve this enigma when he told Mgr. Maurault that four of them adorned the Sacristy of the Neuville Church. Morisset had done an inventory of this Church in 1934, and remembered that four of its twenty-two Plamondon paintings could, by their subject-matter, (an *Agony in the Garden of Olives,* a *Crown of Thorns,* a *Christ Crucified* and an *Entombment*) correspond to Montreal's lost Stations of the Cross.[109] Mgr. Maurault took note and intended to append it to the 1957 edition of his work on the parish's history.[110] More recently, Franklin Toker was to take up where Morisset left off in his own book on the architecture of the Church of Notre-Dame de Montréal.[111] However, apparently Morisset had from the beginning neglected to consult his own notes before getting in touch with Mgr. Maurault. If he had, he

jardin des Oliviers, un *Couronnement d'épines*, un *Christ en croix* et une *Mise au tombeau*), correspondre à des stations du chemin de croix de Montréal.[109] Mgr Maurault a pris bonne note de l'information et s'est fait un devoir d'en faire état dans la réédition de son ouvrage sur la Paroisse en 1957.[110] Plus récemment, Franklin Toker a repris à son compte les allégations de Morisset dans son ouvrage sur l'architecture de l'église Notre-Dame de Montréal.[111] Or, si Morisset avait pris soin de consulter ses propres dossiers avant de communiquer avec Mgr Maurault, il aurait réalisé que les quatre tableaux de Neuville étaient beaucoup plus tardifs qu'il ne le croyait.[112] Il aurait du même coup évité qu'une hypothèse mal fondée ne soit véhiculée comme un fait acquis!

Dans l'état actuel des recherches, il nous faut présumer que les huit stations manquantes ont tout simplement été détruites à la suite de mauvaises conditions d'entreposage.[113] Nous sommes d'avis que cette disparition est probablement survenue entre les années 1895 et 1915, la première date correspondant avec la mise en place dans l'église Saint-Patrick de la boiserie de la nef et la seconde avec la construction de l'actuelle sacristie logée à même l'édifice du Congress Hall,[114] là où furent longtemps entreposés les seuls tableaux du chemin de croix de Plamondon qui nous soient parvenus.[115]

would have realized that the Neuville paintings were much later than he remembered.[112] This might have avoided a situation where an ill-founded hypothesis was passed on as a verified fact.

The present state of our research leaves us only the presumption that the eight missing paintings were simply destroyed following poor storage.[113] We believe that this disappearance probably took place between 1895 and 1915, the first date corresponding to the installation of the nave woodwork, and the second to the construction of the present sacristy in Congress Hall,[114] where the only surviving paintings of Plamondon's Way of the Cross were stored.[115]

5. LES QUATORZE STATIONS DU CHEMIN DE CROIX DE PLAMONDON

L'acquisition, en 1961, par le Musée des beaux-arts de Montréal des six stations connues du chemin de croix de Plamondon a inévitablement suscité un regain d'intérêt pour ces œuvres.[116] Ceci dit, il reste qu'on ne s'est guère soucié de replacer les tableaux en question dans leur pleine perspective. Les six toiles de Plamondon ayant à l'origine fait partie d'un chemin de croix où elles tenaient lieu de deuxième, cinquième, sixième, huitième, dixième et treizième stations, il nous apparaît en effet essentiel de tenir compte des huit autres stations afin d'obtenir une bonne compréhension du chemin de croix comme ensemble intégré. À cette fin, on doit d'abord se référer à l'annonce publicitaire de l'exposition de la Chambre d'Assemblée où Plamondon, par des extraits puisés à même les récits évangéliques, indique clairement chacun des quatorze épisodes de la Passion sélectionnés pour les stations de son chemin de croix (fig. 7). Plus précieux encore est le compte rendu de la même exposition que nous a laissé "Un amateur" dans une longue lettre publiée le 6 décembre 1839 dans *Le Canadien*.[117] À travers cette prose grandiloquente et toute empreinte d'admiration pour le travail de l'artiste,[118] il est possible de cerner assez précisément la composition de la plupart des tableaux disparus.

Ière STATION: L'AGONIE AU JARDIN DES OLIVIERS[119]

La première station du chemin de croix de Plamondon représentait l'agonie du Christ au jardin des Oliviers (voir fig. 7). Bien qu'elle ne nous soit pas parvenue, nous en possédons une longue description (voir Appendice 2) à partir de laquelle il nous est possible de retracer sommairement la composition de l'œuvre. On notait au premier plan deux personnages entourés d'"une lumière éclatante": le Christ agenouillé,"ses mains et ses yeux tournés vers le ciel", et un ange "profondément craintif et respectueux" qui lui présente un calice. Les disciples du Christ "qui dorment paisiblement et qui paraissent insensibles aux souffrances de leur bon

5. PLAMONDON'S FOURTEEN STATIONS OF THE CROSS

Although The Montreal Museum of Fine Arts' 1961 acquisition of Plamondon's six remaining works incited new interest in the suite,[116] it must also be said that there has been little attempt to place them in their proper context. These six paintings originally fulfilled the function of the second, fifth, sixth, eighth, tenth and thirteenth Stations of the Way of the Cross suite. In order to have a comprehensive view of the entire context in which they were created, we must also take into account the eight missing works in any study of them. To do this, we refer to the publicity notice the artist published for his exhibition in the House of Assembly. In it, he quotes extracts from the Gospels, and clearly indicates the basis of each of his fourteen Stations selected to depict the Way of the Cross (fig. 8). More useful still is the account of the same exhibition left to us by an "Amateur" in a long letter published in the December 6, 1839 edition of *Le Canadien*.[117] Besides grandiloquent and admiring praise for the artist's talent,[118] it describes each of the compositions in a fair amount of detail.

FIRST STATION: THE AGONY IN THE GARDEN OF OLIVES

Although the first Station of Plamondon's *Way of the Cross,* illustrating the scene of Christ's agony in the Garden of Gesthemene (see fig. 8), has not come down to us, we have a long description of it (see Appendix II) which enables us to imagine the general composition. In the foreground, two figures bathed in "a brilliant light"; Christ kneeling, his "hands and eyes searched the heaven"; and an angel "profoundly humble and fearful", giving him the chalice. Christ's disciples, who "sleep peacefully and appear unaware of the sufferings of their master", occupy the middle ground. Finally, the city of Jerusalem "appears far away in the distance, through the shades of night."[119] By itself, this description makes it difficult for us to precisely identify the artist's source of inspiration, because all three elements — Christ

Fig. 13

Antoine Plamondon
L'Agonie au jardin des Oliviers/
The Agony in the Garden of Olives
Huile sur toile/Oil on canvas, 1882, 198 x 228 cm
Signé et daté sur le monticule/Signed and dated on the mound:
"A. Plamondon 1882"
Église de Neuville/Church of Neuville

maître" occupent le second plan. Enfin, on apercevait la ville de Jérusalem "qui paraît faiblement dans le lointain, à travers les ombres de la nuit."[120] À elle seule, cette description permet difficilement d'identifier la source d'inspiration exacte du peintre, puisqu'on y retrouve essentiellement les trois principaux éléments de rigueur dans toutes les représentations de cette scène: le Christ agenouillé, l'ange présentant le calice et les apôtres endormis.[121] Plamondon ayant plus tard repris le même sujet pour l'église de Neuville (fig. 13), on peut vraisemblablement supposer que les deux œuvres découlent d'une source commune que nous n'avons pas encore pu identifier.

IIe STATION: "L'ARRESTATION DE NOTRE-SEIGNEUR"

"Et aussitôt, comme il parlait encore (le Christ), survient Judas, l'un des Douze, et avec lui une bande armée de glaives et de bâtons, venant de la part des grands prêtres, des scribes et des anciens. Or, le traître leur avait donné ce signe convenu: "Celui à qui je donnerai un baiser, c'est lui; arrêtez-le et emmenez-le sous bonne garde." Et aussitôt arrivé, il s'approcha de lui en disant: "Rabbi", et lui donna un baiser. Les autres mirent la main sur lui et l'arrêtèrent. Alors l'un des assistants, dégainant son glaive, frappe le serviteur du Grand Prêtre et lui enlève l'oreille. S'adressant à eux, Jésus leur dit: "Suis-je un brigand, que vous vous soyez mis en campagne avec des glaives et des bâtons pour me saisir! Chaque jour j'étais auprès de vous dans le

kneeling, the angel presenting the chalice and the sleeping apostles, — are habitually found in all representations of this scene.[120] However, Plamondon later depicted the same subject for the Church at Neuville (fig. 13), and we may suppose that the two works probably have a common source which we have not yet been able to identify.

SECOND STATION: THE ARREST OF CHRIST

"And immediately, while he yet spake, cometh Judas, one of the twelve, and with him a great multitude with swords and staves, from the chief priests and the scribes and the elders. And he that betrayed him had given them a token, saying, whosoever I shall kiss, that same is he; take him, and lead him away safely.
And as soon as he was come, he goeth straightway to him and saith, Master, master; and kissed him. And they laid their hands on him, and took him. And one of them that stood by drew a sword, and smote a servant of the high priest, and cut off his ear.
And Jesus answered and said unto them, Are ye come out, as against a thief, with swords and with staves to take me?
I was daily with you in the temple teaching, and ye took me not: but the scriptures must be fulfilled. And they all forsook him, and fled.
And there followed him a certain young man, having a linen cloth cast about his naked body; and

Fig. 14

Antoine Plamondon
L'Arrestation de Notre-Seigneur/The Arrest of Christ
Huile sur toile/Oil on canvas, 1839, 153,2 x 240,5 cm
Signé et daté en bas au centre/Signed and dated at lower center:
"A. Plamondon p 1839"
Musée des beaux-arts de Montréal/
The Montreal Museum of Fine Arts
Legs Horsley et Annie Townsend/Horsley and Annie Townsend
Bequest. 1961.1321

Temple, à enseigner, et vous ne m'avez pas arrêté. Mais c'est pour que les Écritures s'accomplissent." Et, l'abandonnant, ils prirent tous la fuite. Un jeune homme le suivant, n'ayant pour tout vêtement qu'un drap, et on le saisit; mais lui, lâchant le drap, s'enfuit tout nu."

(Marc 14, 43-52)

C'est Pierre Rosenberg[122] qui le premier a associé trois des tableaux du chemin de croix de Plamondon qui nous sont parvenus, dont *L'Arrestation de Notre-Seigneur* (fig. 14), à autant de compositions du peintre français Jacques Stella (1596-1657), compositions popularisées par une suite de la Passion en quatorze planches gravées par Claudine Bouzonnet-Stella (1641-1697).[123] Antoine Plamondon possédait sans doute une série de ces planches qu'il aurait vraisemblablement acquise soit en Europe,[124] soit à Québec même.[125] À l'époque, le dessin de ces planches était à tort attribué à Nicolas Poussin (1594-1665).[126] Avec toute l'admiration que Plamondon vouait à ce peintre,[127] il n'est pas étonnant qu'il ait cherché à tirer le plus grand parti de ces compositions pour réaliser l'importante commande de Quiblier.[128]

Tout nous incite à croire que c'est à partir du récit de saint Marc que Jacques Stella a peint son *Arrestation du Christ*, une composition que nous connaissons aujourd'hui par la gravure de sa nièce (fig. 15). En effet, en plus du baiser de Judas, de l'arrestation du Christ et de l'essorillage de Malchus, valet du grand-prêtre, l'artiste a

the young men laid hold on him:
And he left the linen cloth, and fled from them naked."

Mark 14: 43-52

Pierre Rosenberg[121] was the first to associate three of Plamondon's surviving Stations of the Cross, including *The Arrest of Christ,* (fig. 14) with works by the French painter Jacques Stella (1596-1657), which were popularized in a Passion suite of fourteen plates by Claudine Bouzonnet-Stella (1641-1697).[122] Antoine Plamondon probably owned a suite of these works, which he could have obtained in Europe,[123] or even in Quebec.[124] At the period, the originals on which the engravings were based were wrongly attributed to Nicolas Poussin (1594-1665),[125] and given Plamondon's deep admiration for this artist,[126] it is not surprising that he took the greater part of his compositions for Notre-Dame from the supposed Poussin suite.[127]

It is most probable that Jacques Stella took his *Arrest of Christ* known to us today through his niece's engraving (fig. 15) from the Gospel according to St. Mark. In fact, besides Judas' kiss, Jesus' arrest and Malchus, the high priest's valet, being wounded, the artist was careful to show — partially hidden by a tree to the extreme right — the young man running away naked, who is only mentioned by St. Mark. In copying Bouzonnet-Stella's engraving, Plamondon modified the composition only

Fig. 15

Claudine Bouzonnet-Stella,
d'après Jacques Stella/after Jacques Stella
L'Arrestation de Notre-Seigneur/The Arrest of Christ
Gravure/Engraving, 46,5 x 35,3 cm
Bibliothèque nationale (Cabinet des estampes), Paris

Fig. 16

Claudine Bouzonnet-Stella,
d'après Jacques Stella/after Jacques Stella
Le Soufflet devant le grand-prêtre/The Slap before the High Priest
Gravure/Engraving, 46,5 x 35,3 cm
Bibliothèque nationale (Cabinet des estampes), Paris

Fig. 17

Claudine Bouzonnet-Stella,
d'après Jacques Stella/after Jacques Stella
Le Reniement de S. Pierre/The Denial of St. Peter
Gravure/Engraving, 46,5 x 35,3 cm
Bibliothèque nationale (Cabinet des estampes), Paris

Fig. 15

Fig. 16

Fig. 17

pris soin de représenter — à moitié caché par un arbre à l'extrême droite — le jeune homme nu en fuite dont saint Marc est, des quatres Évangélistes, le seul à parler. En démarquant la gravure de Bouzonnet-Stella, Plamondon n'en a que très peu modifié la composition. Tout au plus s'est-il contenté, à cause du format horizontal de son tableau, d'en faire disparaître la végétation, ce qui a entraîné une coupure partielle de la scène de l'avant-plan droit. L'artiste a bien su transmettre ici toute la force que confèrent à la composition de Stella de très beaux effets d'ombre et de lumière.

IIIe STATION: "LE SOUFFLET DEVANT LE GRAND-PRÊTRE"

Comme nous l'apprend l'annonce de l'exposition à la Chambre d'Assemblée (fig. 7), la troisième station du chemin de croix de Plamondon — aujourd'hui disparue — illustrait la comparution devant Anne ou le soufflet devant le grand-prêtre, le premier épisode du procès de Jésus.[129] L'historien d'art Louis Réau note que faisant double emploi avec la comparution devant Caïphe, cet épisode "(...) est très rare, sauf dans les cycles très détaillés de la Passion."[130] Alors qu'il est tout naturel que Jacques Stella ait inclus une comparution devant Anne dans sa suite de la Passion en trente tableaux (fig. 16), Plamondon qui s'est limité à quatorze scènes aurait dû logiquement lui préférer l'épisode de la comparution devant Caïphe.[131] Ayant contre toute attente copié Le Soufflet devant le grand-prêtre de Stella,[132] Plamondon commet une étonnante erreur d'identification lorsqu'il affirme à Quiblier que son tableau représente le Christ souffleté chez Caïphe.[133] Nous nous expliquons mal cette méprise étant donné que la suite gravée par Claudine Bouzonnet-Stella contenait également une représentation de Jésus devant Caïphe que Plamondon a dû délibérément mettre de côté.[134]

IVe STATION: "LE RENIEMENT DE SAINT PIERRE"

Comme Le Reniement de saint Pierre — quatrième station du chemin de croix de Plamondon — ne nous est pas parvenu, soulignons seulement qu'une fois encore il s'agissait vraisemblablement de la transposition de la même scène gravée par Claudine Bouzonnet-Stella (fig. 17). Du moins, si imprécise soit-elle, c'est ce que nous laisse supposer la description de l'œuvre parue dans Le Canadien:

slightly. The most he did, and that due to the horizontal format of his painting, was to eliminate the vegetation, which partially cuts the scene in the right foreground. Plamondon was still able to transmit all the power of Stella's composition, with its beautiful effects of light and shadow.

THIRD STATION: THE SLAP BEFORE THE HIGH PRIEST

As we know from the notice of the exhibition held at the Hall of Assembly (fig. 8), the third Station of Plamondon's series, lost to us today, illustrated Jesus' appearance before Annas, or the slap before the high priest, the first episode in his trial.[128] Concerning this episode, the art historian Louis Réau notes that it duplicates the appearance before Caiaphas and it "is very rare, except in extremely detailed cycles of the Passion."[129] It is quite natural that Jacques Stella would have included an appearance before Annas in his thirty-part suite of the Passion (fig. 16), but Plamondon, limited to fourteen scenes, should logically have preferred the appearance before Caiaphas.[130] Having surprisingly copied the Slap before the High Priest by Stella,[131] Plamondon committed an astonishing error of identification when he described the subject to Quiblier as a "Christ slapped at Caiaphas".[132] This error is all the more confusing given that the suite engraved by Bouzonnet-Stella also had a representation of Jesus before Caiaphas, which Plamondon must deliberately have put aside.[133]

FOURTH STATION: THE DENIAL OF ST. PETER

Since the fourth Station of Plamondon's series, The Denial of St. Peter, has also not come down to us, we can only note once again that it most probably was a transposition of the same scene engraved by Claudine Bouzonnet-Stella (fig. 17). At least, although it is very vague, that is the impression that the description of the work which appeared in Le Canadien gives us.

> "...a servant girl comes out, and says to Peter, warming himself by the fire: "You were also with Jesus of Nazareth." — In this painting, as it is a night scene, I would mention the same contrasts, the same effects of light and shadow, except that they are yet more striking...[134]

"(...) une servante vint qui dit à Pierre se chauffant auprès d'un grand feu: Vous étiez aussi avec Jésus de Nazareth. — Dans ce tableau, comme la scène se passe la nuit, j'aurais les mêmes contrastes, les mêmes effets d'ombres et de lumières à observer (que dans l'œuvre précédente), si ce n'est qu'ils sont plus piquants encore (...)"[135]

Ve STATION: "JÉSUS RECOUVERT DE LA ROBE DES FOUS"

Après avoir été condamné par les autorités religieuses juives, le Christ est amené devant le tribunal civil des Romains présidé par Ponce Pilate, alors procurateur de Judée. Peu désireux de se commettre dans cette délicate affaire, ce dernier aurait envoyé le condamné qui était Galiléen au Tétrarque de Galilée, Hérode Antipas:

"Hérode, en voyant Jésus, fut tout joyeux; car depuis assez longtemps il désirait le voir, pour ce qu'il entendait dire de lui; et il espérait lui voir faire quelque miracle. Il l'interrogea donc avec force paroles, mais il ne lui répondit rien. Cependant les grands prêtres et les scribes se tenaient là, l'accusant avec véhémence. Après l'avoir, ainsi que ses gardes, traité avec mépris et bafoué, Hérode le revêtit d'un habit splendide et le renvoya à Pilate."

(Luc 23, 8-11)

C'est cette dernière scène qui fait l'objet de la cinquième station du chemin de croix de Plamondon (fig. 18). On y voit Hérode, représenté dans toute sa splendeur et entouré de sa cour, se moquer du Christ alors que des gardes s'apprêtent à le revêtir de "la robe des fous".[136] Le peintre s'est de nouveau inspiré pour le sujet de son tableau — la seule *Comparution devant Hérode* connue dans l'art québécois — d'une œuvre de Jacques Stella incluse dans la suite de la Passion de Claudine Bouzonnet-Stella. Cette œuvre fut sans doute gravée par le cousin de Claudine, Michel-François Demasso (1654-après 1725) (fig. 19).[137] Ici encore, Plamondon a su habilement transposer en largeur une composition connue à l'origine en hauteur, en faisant simplement disparaître la plus grande partie du décor architectural. Notons également qu'une colonne a dû être ajoutée à l'extrême gauche du tableau. Dans cette œuvre, les talents de coloriste de Plamondon sont des plus remarquables, comme le note notre "Amateur":

FIFTH STATION: JESUS IN THE ROBE OF FOOLS

First condemned by the Jewish religious authorities, Jesus was then taken before the Roman civil tribunal, presided by Pontius Pilate, Procurator of Judea. Not wishing to become implicated in this delicate affair, Pilate had the condemned man, who was Galilean, sent to the Tetrarch of Galilee, Herod Antipas:

"And when Herod saw Jesus, he was exceeding glad: for he was desirous to see him of a long season, because he had heard many things of him; and he hoped to have seen some miracle done by him.
Then he questioned with him in many words; but he answered him nothing.
And the chief priests and scribes stood and vehemently accused him.
And Herod with his men of war set him at nought, and mocked him, and arrayed him in a gorgeous robe, and sent him again to Pilate."

Luke 23: 8-11

This last scene is depicted in Plamondon's fifth Station of the Cross (fig. 18). We see Herod, arrayed in all his splendour and surrounded by his court, mocking Christ while the guards prepare to cloak him with the "robe of fools".[135] For the only such work known in Quebec art, the painter again used a model by Jacques Stella from the Claudine Bouzonnet-Stella suite, in this case probably engraved by her cousin, Michel-François Demasso (1654-after 1725) (fig. 19).[136] Here again, Plamondon easily adapted the original composition to a horizontal format, simply by omitting most of the surrounding architectural décor, and also added a column at the extreme left of the painting. In this work, Plamondon's remarkable talents as a colourist were put to the test, as the "Amateur" notes:

"I would like to stop for a moment, not only on the expression of the figures, but again and most particularly on the colouring, the beauty of the drapery, and their harmony, on the harmony of the entire work, on the precision and perfection of the draughtsmanship..."[137]

SIXTH STATION: CHRIST AT THE COLUMN

After Herod returned Christ to him, Pilate ordered that he be flogged,[138] which, despite the very brief mention

Fig. 18

Fig. 19

Fig. 18

Antoine Plamondon
Jésus recouvert de la robe des fous/
Jesus Dressed in the Robe of Fools
Huile sur toile/Oil on canvas, 1837, 153 x 240,8 cm
Signé et daté sur la deuxième contremarche/
Signed and dated on the second stair riser:
"A. Plamondon pinxit 1837"
Musée des beaux-arts de Montréal/
The Montreal Museum of Fine Arts
Legs Horsley et Annie Townsend/
Horsley and Annie Townsend Bequest. 1961.1322

Fig. 19

Michel-François Demasso (?),
d'après Jacques Stella/after Jacques Stella
Jésus recouvert de la robe des fous/
Jesus Dressed in the Robe of Fools
Gravure/Engraving, 46,5 x 35,3 cm
Bibliothèque nationale (Cabinet des estampes), Paris

"Je voudrais m'arrêter un instant, non seulement sur l'expression des figures, mais encore et plus particulièrement ici sur le coloris, sur la beauté des draperies, sur leur harmonie, sur celle de tout l'ensemble, sur la correction et sur la perfection du dessin (...)"[138]

VIe STATION: "LE CHRIST À LA COLONNE"

Les quatre Évangélistes relatent très brièvement la flagellation du Christ ordonnée par Pilate après qu'Hérode lui eut renvoyé l'accusé.[139] Ce thème a pourtant connu une très large diffusion dans l'art chrétien occidental.[140] C'est tout le côté pathétique de la flagellation que cherche à rendre Antoine Plamondon avec la sixième station de son chemin de croix (fig. 20). Alors que le Christ adopte une attitude de profonde résignation, un premier bourreau l'attache à une colonne basse pendant qu'un second tortionnaire lui arrache avec brutalité son vêtement. Témoins de la cruauté des supplices qu'on infligera bientôt au condamné, les instruments de la flagellation sont posés sur le sol, parmi lesquels un fouet menaçant garni à ses extrémités de billes de plomb. Une fois de plus, Plamondon s'inspire pour son tableau d'une composition de Jacques Stella gravée par Claudine Bouzonnet-Stella (fig. 21). Pour des raisons que nous nous expliquons mal, la toile de Plamondon est inversée par rapport à la gravure.[141] Autre variante, Plamondon a placé à gauche de la scène un socle sur lequel sont posés un vêtement et un casque (fig. 22). Faute d'espace en hauteur, le peintre n'a pu toutefois inclure dans son tableau les trois spectateurs qui observent la scène dans la composition de Stella.

VIIe STATION: "LE COURONNEMENT D'ÉPINES"

La septième station du chemin de croix de l'église Notre-Dame étant disparue, la description de l'œuvre parue dans *Le Canadien* du 6 décembre 1839 ne saurait, à elle seule, nous fournir des indications précises sur la source utilisée par Plamondon dans son tableau. En effet, contrairement aux cas précédents, *Le Couronnement d'épines* ne figure pas dans la suite de la Passion gravée par Claudine Bouzonnet-Stella. Nous savons par contre qu'Antoine Plamondon a peint de nouveau cette scène pour l'église de Neuville en 1881. Toujours accroché

given to the episode by the four Evangelists, was to have a very popular role in Western art.[139] It is the pathetic side of this scene that Plamondon has chosen to emphasize (fig. 20). While Jesus adopts an attitude of profound resignation, one tormentor ties him to the base of a column, while another brutally strips him of his garment. The instruments of flagellation lying on the ground — including a menacing whip with balls of lead at its extremities — witness to the cruelty and suffering the condemned is about to undergo. Again Plamondon used one of the engravings of the Stella suite for inspiration (fig. 21). For reasons that are unknown to us, Plamondon's canvas is reversed in comparison to the engraving.[140] Moreover, Plamondon has painted the base of a column on the left, on which clothes and a helmet are placed (fig. 22). Because the composition is horizontal, he could not include the three spectators who in Stella's version regard the scene from a window.

SEVENTH STATION: THE CROWN OF THORNS

The seventh Station of the Cross for the Church of Notre-Dame de Montréal has been lost, and the description given in the December 6, 1839 issue of *Le Canadien* is insufficient on its own to establish Plamondon's source. In fact, contrary to the preceding Stations, *The Crown of Thorns* does not exist in Stella's suite. On the other hand, we know that in 1881 Plamondon again painted this subject for the Church of Neuville. Still hanging in the nave, this painting (fig. 23) is a fairly exact copy of *The Crown of Thorns* by Titien (1490-1576) now in the Louvre,[141] which Plamondon could have copied during his stay in Europe.[142] It is probable that, as for Neuville, Plamondon executed his seventh Station of the Cross from that copy, showing Christ, his face "calm, yet profoundly grieved", bound by chains, and bent "under the weight of his sorrows", while the crown of thorns is forced on his head.[143]

EIGHTH STATION: "ECCE HOMO"

His head crowned with a wreath of thorns, a purple cloak on his shoulders, his body torn by blows from the whip, his hands tied and holding a reed sceptre, Christ is mockingly presented to the mob by Pilate: "Here is the man" ("Ecce homo") (fig. 24).[144] Antoine Plamondon was inspired by a painting by the Italian artist Ludovico Cardi, called Cigoli (1559-1613) for his eighth Station.

Fig. 20

Fig. 21

Fig. 22

Fig. 20

Antoine Plamondon
Le Christ à la colonne/Christ at the Column
Huile sur toile/Oil on canvas, 1837, 153 x 242 cm
Signé et daté en bas vers le gauche/
Signed and dated at lower left:
"A. Plamondon pinxit 1837"
Musée des beaux-arts de Montréal/
The Montreal Museum of Fine Arts
Legs Horsley et Annie Townsend/
Horsley and Annie Townsend Bequest. 1961.1323

Fig. 21

Claudine Bouzonnet-Stella,
d'après Jacques Stella/after Jacques Stella
Le Christ à la colonne/Christ at the Column
Gravure/Engraving, 27,7 x 19,2 cm
Bibliothèque nationale (Cabinet des estampes), Paris

Fig. 22

Détail de la fig. 20/Detail of fig. 20

Fig. 23

Antoine Plamondon
Le Couronnement d'épines/The Crown of Thorns
Huile sur toile/Oil on canvas, 1881
Env./Around 250 x 172 cm
Inscription en bas à gauche/Inscription at lower left:
"Donné à cette Église par les Membres de L'Union St. Joseph
et le peintre Plamondon 1881"
Église de Neuville/Church of Neuville

dans la nef de l'église, le tableau (fig. 23) reprend très exactement la composition du *Couronnement d'épines* peint par le Titien (1490-1576) que conserve le Louvre.[142] C'est vraisemblablement là que Plamondon a copié l'œuvre une première fois lors de son séjour en Europe.[143] On présume qu'il s'est inspiré de cette copie pour l'église de Neuville, tout comme pour la septième station du chemin de croix de l'église Notre-Dame où le Christ, la figure "calme, quoique profondément douloureuse", est représenté "lié par des chaînes" et courbé "sous le poids de ses maux" alors qu'on lui enfonce la couronne d'épines sur la tête.[144]

VIIIe STATION: "ECCE HOMO"

La tête couronnée d'épines, un manteau de pourpre sur les épaules, le corps déchiré par les coups de fouet et tenant dans ses mains liées un sceptre de roseau, le Christ est présenté dérisoirement à la foule par Pilate: "Voici l'homme" (*"Ecce Homo"*).[145] Pour illustrer cet

Cardi's work is now at the Pitti Palace in Florence (fig. 25), but was probably known to Plamondon through an engraving, which explains why his version is reversed. Once again working with a vertical composition, Plamondon must have stretched his imaginative powers in order to people a painting almost 2.5 meters wide with a scene showing only three figures from the waist up. If the two guards holding pennants emblazoned with Ceasar's likeness seem to be an ingenious addition, they are somewhat negated by the artist's unfortunate use of heavy draperies, giving an overly-dramatic feeling to the scene.

NINTH STATION: PILATE WASHING HIS HANDS

This work has not come down to us, and since we have no description of it,[145] we know very little about it, apart from the fact that it represented Pilate washing his hands to show the crowd he was not responsible for Christ's death (fig. 8). Moreover, this scene is not included in

Fig. 24

Fig. 25

Fig. 24

Antoine Plamondon
"Ecco Homo"
Huile sur toile/Oil on canvas
Entre 1836 et 1840/Between 1836 and 1840, 153 x 242 cm
Signé sur la balustrade/Signed on the balustrade:
"A. Plamondon p."
Musée des beaux-arts de Montréal/
The Montreal Museum of Fine Arts
Legs Horsley et Annie Townsend/
Horsley and Annie Townsend Bequest. 1961.1324

Fig. 25

Ludovico Cardi, dit Cigoli
"Ecce Homo"
Huile sur toile/Oil on canvas
Vers/Around 1605-1606, 175 x 135 cm
Palais Pitti/Pitti Palace, Florence

63

épisode du procès de Jésus (fig. 24), Antoine Plamondon s'inspire d'un tableau du peintre italien Ludovico Cardi, dit Cigoli (1559-1613), conservé au Palais Pitti à Florence (fig. 25). Plamondon a sans doute pris connaissance de ce tableau par la gravure, ce qui explique pourquoi la scène représentée dans son chemin de croix est inversée par rapport à l'original. Aux prises une fois encore avec une composition en hauteur, le peintre a fait appel à divers artifices pour meubler un tableau de près de deux mètres cinquante de largeur avec une scène comprenant seulement trois personnages coupés à la taille. Si la présence, à l'arrière-plan, de deux gardes tenant des fanions à l'effigie de César nous apparaît être une heureuse trouvaille de Plamondon, il en va autrement des lourdes draperies qui confèrent à l'ensemble une allure des plus théâtrales!

IXe STATION: PILATE SE LAVE LES MAINS

La neuvième station du chemin de croix de Plamondon ne nous est pas parvenue. Comme nous n'en possédons aucune description,[146] notre connaissance de l'œuvre se limite au sujet représenté: Pilate se lavant les mains afin de bien montrer aux yeux de la foule qu'il n'est en rien responsable du sort prochain que va subir le Christ (fig. 7). En outre, comme cette scène n'est pas incluse dans la suite de la Passion de Claudine Bouzonnet-Stella et que le peintre n'a, à notre connaissance, jamais repris ailleurs le thème, nous ne pouvons émettre aucune hypothèse sur la source qui a pu l'inspirer.

Xe STATION: "JÉSUS SUR LE CHEMIN DU CALVAIRE"

Pilate ayant cédé aux presssions de la foule, Jésus est condamné à mort. Les soldats romains lui enlèvent le manteau de pourpre dont ils l'avaient revêtu par dérision, lui remettent ses vêtements et l'emmènent pour le crucifier.

> "Quand ils l'emmenèrent, ils mirent la main sur un certain Simon de Cyrène qui revenait des champs, et le chargèrent de la croix pour la porter derrière Jésus. Une grande masse du peuple le suivait, ainsi que les femmes qui se frappaient la poitrine et se lamentaient sur lui (...) On emmenait encore deux malfaiteurs pour être exécutés avec lui."

> (Luc 23, 26-32)

Claudine Bouzonnet-Stella's Passion suite, and Plamondon never, to our knowledge, took up the theme again, so that it is not possible to advance any theory as to its source.

TENTH STATION: JESUS ON THE ROAD TO CALVARY

When Pilate capitulated to the will of the mob, Jesus' trial was over. Roman soldiers then took away the derisive purple cloak, returned his normal clothing, and took him away to crucify him.

> "And as they led him away, they laid hold upon one Simon, a Cyrenian, coming out of the country, and on him they laid the cross, that he might bear it after Jesus.
> And there followed him a great company of people, and of women, which also bewailed and lamented him... And there were also two other malefactors led with him to be put to death."

> Luke 23: 26-32

By the end of the middle ages, artists began to divide the story of the road to Calvary into a series of scenes or episodes.[146] Antoine Plamondon stood against this practice, and in what he considered a more orthodox manner, conforming to the words of the Bible, confined this story to one scene.[147] As Pierre Rosenberg notes, the composition here (fig. 26) comes from a famous work by Pierre Mignard (1612-1695) (fig. 27) which the artist "...must have seen during his trip to France."[148] Although it is indeed probable that Plamondon saw Mignard's work in the Louvre, he actually based his tenth Station of the Cross on an engraving by Gérard Audran (1640-1703), which is not reversed in comparison to the original (fig. 28).[149] This explains why the two works, the original painting and Plamondon's copy, have totally different colour-schemes. Although the Audran engraving for once supplied Plamondon with a horizontal composition, he still abbreviated it considerably, by omitting all the figures in the far background, as well as the group of women in the right foreground present in the engraving. The Museum's painting contains, nevertheless, no fewer than twenty people, including Jesus, who is being brutally pulled to his feet after falling, the two thieves, and Simon of Cyrene, who is being loaded with the cross. To this major core of interest is appended a group surrounding the

Fig. 26

Antoine Plamondon
Jésus sur le chemin du Calvaire/Jesus on the Road to Calvary
Huile sur toile/Oil on canvas
Entre 1836 et 1840/Between 1836 and 1840, 153,3 x 240,6cm
Musée des beaux-arts de Montréal/
The Montreal Museum of Fine Arts
Legs Horsley et Annie Townsend/
Horsley and Annie Townsend Bequest. 1961.1325

Fig. 27

Pierre Mignard
Jésus sur le chemin du Calvaire/Jesus on the Road to Calvary
Huile sur toile/Oil on canvas, 1684, 150 x 198 cm
Signé et daté sur une pierre/Signed and dated on a rock:
"P. Mignard pinxit 1684"
Musée du Louvre/The Louvre, Paris. Inv. 6637

Fig. 28

Gérard Audran,
d'après Pierre Mignard/after Pierre Mignard
Jésus sur le chemin du Calvaire/Jesus on the Road to Calvary
Gravure/Engraving, 53 x 75 cm
Vieux Séminaire, Montréal

Avec la fin du Moyen-Âge, les artistes en viennent peu à peu à décomposer en une multitude de scènes l'épisode de la montée au Calvaire.[147] Opposé à cette pratique, Antoine Plamondon a cru plus orthodoxe de s'en tenir à un seul tableau.[148] Comme le note Pierre Rosenberg, sa composition (fig. 26) découle d'une œuvre célèbre de Pierre Mignard (1612-1695) (fig. 27) que le peintre "(...) a dû connaître au cours de son voyage en France."[149] Bien qu'il soit fort probable que Plamondon ait vu l'œuvre de Mignard au Louvre, il reste que c'est à partir d'une gravure de Gérard Audran (1640-1703), non inversée par rapport au tableau de Mignard (fig. 28), qu'il a réalisé la dixième station de son chemin de croix.[150] On s'explique ainsi pourquoi les deux œuvres, l'original et la copie, possèdent des coloris tout à fait différents. Bien qu'avec la gravure de Audran, Plamondon dispose pour une rare fois d'une source se développant sur la largeur, il n'en allège pas moins considérablement cette composition en faisant disparaî-tre tous les personnages de l'arrière-plan et le groupe de femmes qui occupent la partie droite de l'avant-plan. Le tableau du Musée des beaux-arts de Montréal comporte malgré tout une vingtaine de personnages, parmi lesquels les deux larrons et le Christ que l'on tente brutalement de relever après une chute, alors que Simon de Cyrène est chargé de sa croix. À ce premier centre d'intérêt répond à l'avant-plan gauche du tableau le groupe composé de la Vierge défaillante soutenue par Marie-Madeleine et l'apôtre Jean.

XIe STATION: JÉSUS MIS EN CROIX

Tout comme pour la neuvième station et pour les mêmes raisons, nous ignorons la source dont a pu s'inspirer Plamondon pour la scène du crucifiement correspondant à la onzième station de son chemin de croix (fig. 7).

XIIe STATION: "LE CALVAIRE"

La douzième station du chemin de croix de Plamondon ne nous est malheureusement pas parvenue. On peut néanmoins en avoir une bonne idée grâce à la descrip-tion qui nous en a été donnée:

> "(...) déjà la victime est immolée; elle vient d'expirer en prononçant ces tristes paroles: *tout est consommé*. La lumière s'éclipse, la terre s'ébranle et se couvre de ténèbres, les sépulcres se brisent, les

fainting Virgin, supported by Mary Magdelene and the Apostle John, in the left foreground.

ELEVENTH STATION: CHRIST CRUCIFIED

Like the ninth Station and for the same reasons, we do not know Plamondon's source for this painting of the Crucifixion, used as the eleventh Station in his suite.

TWELFTH STATION: CALVARY

Plamondon's twelfth Station of the Cross has not come down to us, but the "Amateur's" description gives us some idea of its contents:

> "...already the victim is dead; He has just expired, saying those terrible words: *It is finished.* The light is failing, the earth trembles and is covered in shadow, tombs break open, the shrouds of the dead dissolve and living corpses are thrown from their tombs. Thunder breaks and lightning flashes all around; the day star, shattered and confused, emits only a few pale and tarnished rays. It seems as if the world has come to an end. The soldiers gambling for the Saviour's cloak, on seeing the dead come to life, drop it and seize their daggers in a panic of self-defense; terror and distraction take hold of all who participated in the execution.
>
> This woman moaning at the foot of the cross, the group of holy women with faces hidden by tears, among them we see the Mother of Jesus, for her heart is pierced by a dagger of grief; all these contrasts, all these oppositions of light and shade, all these episodes, all the richness of colour, a harmony so beautiful and so difficult to obtain because of the great number of figures, all the movement and action spread across this painting create a dark and tragic scene."[150]

It is impossible not to associate this description with a composition by Nicolas Poussin, engraved by Claudine Bouzonnet-Stella and entitled *Calvary,*[151] which Plamondon copied in 1876 and which may be seen today in the Musée du Séminaire de Québec (fig. 29).

THIRTEENTH STATION: THE DEPOSITION FROM THE CROSS

Briefly related by the four Evangelists,[152] the episode of the Deposition from the Cross was used by the artist as his thirteenth Station of the Cross (fig. 30). The figures

Fig. 29

Antoine Plamondon
Le Crucifiement/The Crucifixion
Huile sur toile/Oil on canvas, 1876, 167,5 x 236,4 cm
Signé et daté en bas vers la gauche/
Signed and dated on lower left:
"A. Plamondon 1876"
Musée du Séminaire de Québec. 983.27

liens de la mort se dissolvent et les cadavres sont précipités vivants des tombeaux; le tonnerre, les éclairs sillonnent de toutes parts, l'astre du jour ne jette plus sur la nature, bouleversée et confondue, que quelques rayons ternes et pâlissants. On dirait que la dernière destruction de l'univers est arrivée. Aussi les soldats qui tirent au sort la robe du Sauveur, à la vue des morts qui ressuscitent, la laissent échapper et saisissent leurs poignards pour se mettre en défense; la frayeur et l'égarement s'emparent de tous ceux qui se mêlent de l'exécution.

Cette femme gémissante au pied de la croix, le groupe des saintes femmes dont les visages sont obscurcis par les larmes, et parmi lesquelles se distingue la mère de Jésus parce que son cœur est percé d'un glaive de douleur; tous ces contrastes, toutes ces oppositions d'ombres et de lumières, tous ces épisodes, toute la richesse du coloris, toute l'harmonie si belle et si difficile à atteindre, à cause de la grande multiplicité des personnages, tout le mouvement, toute l'action répandue dans ce tableau, en font une scène lugubre et tragique."[151]

Comment ne pas associer à cette description la composition de Nicolas Poussin, gravée par Claudine Bouzonnet-Stella et intitulée *Le Calvaire*,[152] dont Antoine Plamondon a tiré en 1876 une copie qui est aujourd'hui conservée au Musée du Séminaire de Québec? (fig. 29)

represent two of Jesus' disciples, Joseph of Arimathaea to the left and Nicodemus to the right, wrapping the body of Christ which has been taken from the cross in an immaculate shroud. The weeping Virgin, with a gesture of helplessness, raises her eyes to the sky and stretches her arms towards her son. Behind her, two holy women weep over the death of their Saviour. To balance the composition, a man takes away the ladder which had served to lower the body, and a last disciple, to one side, contemplates the scene from afar.

Concerning Plamondon's *Deposition from the Cross,* Pierre Rosenberg has written that:

> "(it) was inspired by a painting by Jean Jouvenet (Rouen, 1644-Paris, 1717) on the same subject, known in many versions, of which the most beautiful, dated 1708, is at the Church of Saint-Maclou de Pontoise... And besides, an engraving, one by Alexis Loir or another, may have served as the artist's model."[153]

While conceding the accuracy of this comparison, which was also noticed by Gérard Morisset,[154] it remains that Alexis Loir's (1640-1713) engraving is reversed in comparison to Plamondon's composition,[155] and so could not have served as a direct model. As John R. Porter and Jean Trudel have noted, this painting was more likely inspired directly by *The Deposition from the Cross* of the Church of the Annunciation at Oka (fig. 31), "...faithfully

67

XIIIe STATION: "LA DÉPOSITION DE CROIX"

Brièvement relaté par les quatre Évangélistes,[153] l'épisode de la déposition de croix tient lieu de treizième station dans le chemin de croix de Plamondon (fig. 30). Deux disciples de Jésus sont représentés, Joseph d'Arimathie à gauche et Nicodème à droite, qui enveloppent dans un linceul immaculé le Christ descendu de la croix. La Vierge éplorée, dans un geste d'impuissance, lève les yeux au ciel et tend les bras vers son fils. Derrière elle, deux saintes femmes pleurent la mort du Sauveur. Venant équilibrer la composition, un homme s'affaire à enlever l'échelle qui a servi à descendre le crucifié, tandis qu'un dernier disciple observe la scène en retrait.

De *La Déposition de Croix* de Plamondon, Pierre Rosenberg a écrit:

> "(elle) est inspirée par la toile de Jean Jouvenet (Rouen 1644-Paris 1717) de même sujet connue en de nombreux exemplaires mais dont la version la plus belle, datée de 1708, est conservée à l'église Saint-Maclou de Pontoise (...) Là encore, la gravure, celle d'Alexis Loir ou une autre, a pu être pour l'artiste le modèle."[154]

Bien que ce rapprochement soit juste, ce qui n'avait d'ailleurs pas échappé à Gérard Morisset,[155] il reste que la gravure d'Alexis Loir (1640-1713) est inversée par rapport à la composition de Plamondon[156] et que, par conséquent, elle n'a pu servir directement de modèle à l'artiste. Comme l'ont remarqué John R. Porter et Jean Trudel, le peintre se serait plutôt inspiré directement de *La Déposition de croix* conservée à l'église de l'Annonciation d'Oka (fig. 31) et copiée "(...) très fidèlement du tableau de Jean Jouvenet peint en 1708 et se trouvant maintenant à l'église Saint-Maclou de Pontoise après avoir été, jusqu'en 1765, dans l'église des Jésuites de la même ville."[157] Œuvre française anonyme placée vers 1742 dans la chapelle latérale droite du Calvaire du lac des Deux-Montagnes. *La Déposition de croix* d'Oka faisait office de septième et dernière station avant d'être transportée dans l'église locale vers 1776. C'est à cette époque que les toiles des quatres oratoires et des trois chapelles du Calvaire ont été remplacées par des reliefs en bois qui en reprennent les mêmes compositions.[158]

(copied) from the one by Jean Jouvenet, painted in 1708, now in the Church of Saint-Maclou in Pontoise (Val d'Oise). It had been, up to 1765, in the Jesuit church in that same town."[156] An anonymous work from France, which was hung in the lateral chapel of the Calvary of the Lake of Two Mountains around 1742 (where it was used as the seventh and last Station), *The Deposition from the Cross* was placed in the local church around 1776. At this time, it was decided to replace the canvases in the four Calvary oratories with wood bas-reliefs of the same compositions.[157]

Antoine Plamondon was surely well acquainted with the Oka collection of paintings showing different episodes in Christ's Passion, "...which connoisseurs ranked as being among the most important works of art existing in this country."[159] At the very least, he would have heard of them from the Sulpiciens during his brief stay in Montreal in 1836.[159] They in fact never lost the opportunity of encouraging local artists to use this collection for inspiration, and many did, including the Montreal artists Yves Tessier (1800-1847)[160] and Louis Dulongpré (1754-1843), to whom we owe a copy of *The Deposition from the Cross* of Oka which is now in the Musée du Québec.[161]

It was probably only after he found out that he did not have any other available model for his thirteenth Station of the Cross that Plamondon thought to make the trip from Quebec City to Oka in order to copy the *Deposition,* which he most likely did in 1839, as his painting dates from that year. There, the artist probably made a small copy, which he would transfer to the size of the other Stations of the Cross on his return to Quebec City. There is no doubt that it was from this first copy that Plamondon executed his *Deposition from the Cross* for the Church of Cap-Santé in 1876 (fig. 32). In this late work, the artist shows himself to be much less skillful than in The Montreal Museum of Fine Arts' painting. Note that, moreover, in the latter case, he had to squeeze his composition to a considerable degree in order to conform to the format being used for the suite as a whole. He also created an austere, rocky landscape on each side of his central grouping to finish off the painting, going so far, on the extreme right, as to add the cross of one of the two thieves.

Fig. 30

Fig. 32

Fig. 31

Fig. 30

Antoine Plamondon
La Déposition de croix/The Deposition from the Cross
Huile sur toile/Oil on canvas, 1839, 153,2 x 240,6 cm
Signé et daté en bas à gauche/Signed and dated at lower left:
''A. P. don p. 1839''
Musée des beaux-arts de Montréal/
The Montreal Museum of Fine Arts
Legs Horsley et Annie Townsend/
Horsley and Annie Townsend Bequest. 1961.1326

Fig. 31

Anonyme/Anonymous
La Déposition de croix/The Deposition from the Cross
Huile sur toile/Oil on canvas
Vers /Around 1740, 222,2 x 160 cm
Église d'Oka/Church of Oka

Fig. 32

Antoine Plamondon
La Déposition de croix/The Deposition from the Cross
Huile sur toile/Oil on canvas, 1876
Env./Around 259,1 x 182,9 cm
Signé et daté en bas à gauche/Signed and dated at lower left:
''A. Plamondon 1876''
Église de Cap-Santé/Church of Cap-Santé

69

Antoine Plamondon connaissait sûrement bien la collection de tableaux d'Oka consacrés à différents épisodes de la Passion du Christ "(...) que les connaisseurs classaient parmi les œuvres d'art les plus importantes existant au pays."[159] Du moins a-t-il dû en apprendre l'existence des Sulpiciens lors de son bref séjour à Montréal en 1836.[160] Ces derniers ont d'ailleurs fortement encouragé les artistes locaux à s'inspirer de ces œuvres, ce que feront à diverses reprises des peintres montréalais comme Yves Tessier (1800-1847)[161] ou Louis Dulongpré (1754-1843), à qui nous devons une copie de *La Déposition de croix* d'Oka aujourd'hui conservéee au Musée du Québec.[162]

C'est sans doute après avoir constaté qu'il ne disposait d'aucune autre source pour réaliser la treizième station de son chemin de croix que Plamondon a dû effectuer le voyage de Québec à Oka pour copier *La Déposition de croix*. Ce voyage remonte probablement à 1839 puisque son tableau date de cette année-là. Sur place, le peintre a vraisemblablement réalisé une première copie de petites dimensions, copie qu'il a transposée dans le même format que ses autres tableaux une fois de retour à Québec. Il ne fait aucun doute que Plamondon ait réutilisé sa copie initiale comme modèle pour *La Déposition de croix* qu'il a peinte en 1876 pour l'église de Cap-Santé (fig. 32). Dans cette œuvre tardive, l'artiste se montre toutefois beaucoup moins habile que dans celle de la collection du Musée des beaux-arts de Montréal. Notons que dans ce dernier cas, le peintre a dû resserrer singulièrement sa composition pour se conformer au format de son chemin de croix. Afin de meubler son tableau, Plamondon a créé un austère paysage rocheux de chaque côté du motif central et y a ajouté, à l'extrême-droite, la croix de l'un des deux larrons.

XIVe STATION: "LA MISE AU TOMBEAU"

Pour suppléer aujourd'hui à la disparition de la quatorzième et dernière station du chemin de croix de Plamondon, il ne nous reste plus qu'une description de l'œuvre:

> "(...) il (Joseph d'Arimathie) portait paisiblement le corps sacré, aidé de Nicodême et de St. Jean. Tout était silencieux comme à des funérailles nocturnes; le soleil ne jetait plus que quelques rayons

FOURTEENTH STATION: THE ENTOMBMENT

The only material we have today on the disappeared fourteenth and last Station of Plamondon's Way of the Cross suite is a long description of the work:

> "...he (Joseph of Arimathaea) peacefully holds the holy body, helped by Nicodemus and St. John. Everything was silent, as at a night funeral; the sun only cast a few last, slanted rays. Further on Mary, overwhelmed with grief, fainting, agonizing, was held up by another woman. The beloved disciple, as he should, helps carry his dear Master; but because the Saviour said to him, while dying, "Here is your mother", he looks to the side to see that no terrible accident befalls her. The sky is pure and shows only a few clouds, faintly gilded by the last rays of the sun."[162]

In this description, despite a few incongruities concerning the identification of the figures, we recognize the composition of Titien's *The Entombment* from the Louvre,[163] that Plamondon painted again in 1882 at the age of 78, for the Church at Neuville (fig. 33). As in that painting, the composition is reversed, implying that the artist used an engraving of Titien's work as the model for his fourteenth Station. The overall result was probably more convincing than in the surviving painting.

Through the six remaining paintings of Plamondon's Way of the Cross suite and the information we possess concerning the lost works, it is now possible for us to imagine the tremendous effort that must have gone into the conception and realization of this "immense collection". First of all, after having selected painted or engraved models for each of the fourteen Stations, Plamondon had to transfer each painting on canvas, and impose some sort of unity of design. As the editor of the *Quebec Mercury* rightly noted during the exhibition of these works at the House of Assembly,

> "The painter had many difficulties to contend with, amongst which the least was not that of being confined to a cloth of certain dimensions, for each of his pictures, whether the subject required the introduction of few or many figures. The consequence has been that he has in some of the

Fig. 33

Antoine Plamondon
La Mise au tombeau/The Entombment
Huile sur toile/Oil on canvas, 1882, 197 x 232 cm
Signé et daté en bas vers la gauche/Signed and dated at lower left:
"A. Plamondon 1882"
Église de Neuville/Church of Neuville

obliques. Plus loin était Marie, accablée de douleur, défaillante, agonisante et soutenue par une autre femme. Le disciple bien aimé, comme il le devait, aide à porter son cher maître; mais parce que le Sauveur lui a dit en mourant: Voici votre mère, il porte ses regards de ce côté pour voir s'il ne se passera pas quelque tragique accident. Le ciel est pur et n'offre à l'horizon que quelques-uns de ces nuages légers dorés par les derniers rayons du jour."[163]

Malgré certaines réserves quant à l'identification des personnages, nous pouvons reconnaître dans cette description la composition de *La Mise au tombeau* du Titien conservée au Louvre,[164] laquelle Antoine Plamondon a reprise en 1882, à l'âge de 78 ans, pour l'église de Neuville (fig. 33). Comme à Neuville où la copie est inversée par rapport à l'original, le peintre a sans doute travaillé à partir d'une gravure de l'œuvre du Titien pour réaliser la quatorzième station de son chemin de croix. Il est probable que le résultat ait été beaucoup plus convaincant dans le cas du tableau de Notre-Dame de Montréal.

Grâce aux six tableaux du chemin de croix de Plamondon qui nous sont parvenus, grâce également aux informations que nous possédons sur les œuvres disparues, il nous est permis de mesurer tout l'effort

pictures been obliged to reduce the size of the figures, whilst in others they are full of stature."[164]

Other than this work of redesigning the composition, the use of engraved sources for at least eleven of his paintings obliged Plamondon to develop all his talents as a colourist. Concerning this, the editor of the *Journal de Québec* notes that,

"Very often he (Plamondon) was obliged to compose the entire colouring of his works, as in the fourteen paintings of the "Way of the Cross" for the great Church of Montreal; and everyone knows how well he succeeded, how he astonished with his richness, gave pleasure with the magic of his brush, which, in each painting, was revealed under changing and always more delightful forms."[165]

From this fact alone, it is not surprising that Plamondon took the liberty of signing most of his copies (fig. 34),[166] as he did with his original compositions. Pierre Rosenberg notes, while speaking of the six surviving paintings of the original suite, that:

"By using as inspiration compositions by artists of such well-defined temperaments, Plamondon has done more than just to copy their works. Certainly, it would be difficult to claim that he had stamped this suite with his own personality, but he did try to adapt them by simplifying them, yet keeping within

qu'ont pu exiger de l'artiste la conception et la réalisation de cette "immense collection". Après avoir sélectionné les sources peintes ou gravées qui allaient lui servir de modèles pour chacune des quatorze stations de son chemin de croix, Plamondon a entrepris de les transposer sur des toiles tout en s'efforçant de maintenir une certaine unité. Comme l'a noté avec justesse le rédacteur du *Canadien* lors de l'exposition des œuvres à la Chambre d'Assemblée:

> "Une grande difficulté se présentait au peintre dans ce travail. Les quatorze tableaux devaient être des mêmes dimensions en tous sens, de sorte que pour tous les sujets variés qu'il avait à traiter, il n'avait que le même espace. Il lui fallait beaucoup d'art et de hardiesse pour surmonter cette difficulté (...)"[165]

Outre le travail de recomposition auquel l'artiste s'est astreint, l'utilisation de sources gravées dans au moins une dizaine de cas a permis à Plamondon de démontrer son indéniable talent de coloriste. À ce propos, le rédacteur du *Journal de Québec* note en 1843 que:

> "Très souvent il a eu (Plamondon) à composer le coloris tout entier (de ses œuvres), comme dans les quatorze tableaux du "chemin de la croix" pour la grande église de Montréal; et tout le monde sait comme il a plu, comme il a étonné par la richesse, par la magie de son pinceau, qui, dans chaque tableau, se révélait sous des formes diverses et toujours plus ravissantes."[166]

Il n'est alors pas étonnant que Plamondon ait tenu à signer la plupart de ses copies (fig. 34),[167] comme il l'aurait fait pour des compositions originales. Se référant aux six tableaux qui nous sont parvenus, Pierre Rosenberg résume bien l'apport du peintre:

> "S'inspirant de compositions d'artistes au tempérament nettement tranché, Plamondon n'a pas fait que copier leurs œuvres. Certes, il serait difficile de prétendre qu'il a marqué de sa personnalité cette suite de tableaux, mais il a tenté de les adapter en les simplifiant et en gardant les grandes lignes de la composition, faisant preuve à l'égard d'artistes alors négligés, d'une compréhension et d'un intérêt bien rares alors chez ses collègues français."[168]

the major lines of their compositions, showing an understanding and interest in artists who were being neglected at the time which was then very rare among his French counterparts."[167]

Fig. 34

Signature du tableau
Le Christ à la colonne
(détail de la fig. 20)

Signature on the painting
Christ at the Column
(detail of fig. 20)

CONCLUSION

"M Plamondon est encore un talent bien net et des plus estimables. Ses copies ont un caractère décidé d'exactitude et de bonne exécution. C'est ce que l'on remarque dans (...) ses tableaux de la passion, d'après les grands maîtres, qui se trouvent à Saint Patrick de Montréal, et qui ont un vrai mérite: les sujets sont bien choisis, exécutés d'une manière large, avec facilité et énergie."

Revue de Montréal, juillet 1880, p. 493

À la fin du 19e siècle, avec Théophile Hamel, Antoine-Sébastien Falardeau (1822-1889) et Napoléon Bourassa (1827-1916), on cite volontiers Antoine Plamondon comme l'un des chefs de file de la peinture québécoise. L'artiste doit avant tout cette enviable réputation à ses nombreuses copies de tableaux religieux européens, parmi lesquels son chemin de croix demeure sans doute l'exemple le plus achevé. Curieusement, le 20e siècle va réserver à son œuvre une fortune critique toute autre. Ainsi, une importante exposition Plamondon-Hamel organisée par la Galerie nationale du Canada en 1970[169] où figurent, parmi une quarantaine d'œuvres de Plamondon, quelques tableaux religieux dont la deuxième et la treizième stations de son chemin de croix, suscite des commentaires peu élogieux de la part de Paul Dumas: "Les quelques tableaux religieux de l'exposition sont franchement médiocres. (Telles sont les) deux scènes de la Passion, gauches d'exécution et ternes de couleur (...)"[170] Le critique d'art reconnaît pourtant au peintre des qualités indéniables: "C'est dans le domaine du portrait, et du portrait peint sur le vif, que Plamondon a surtout excellé."[171] Dumas apparaît ici comme un émule de Gérard Morisset selon qui:

"Après son retour de Paris en 1830, il (Plamondon) peint ses tableaux d'église puisqu'il lui faut gagner sa subsistance; ce ne sont pas les plus intéressantes de ses œuvres. Avant tout, Plamondon est portraitiste, et c'est assurément comme tel qu'il a

"Mr. Plamondon is still a clear and most estimable talent. His copies have a decided character of precision and fine execution. This is what one notices in... his paintings of the Passion, taken from the Old Masters, which are in St. Patrick's of Montreal, and they have a true value: the subjects are well chosen, executed with generosity, skill and energy."

Revue de Montréal, July, 1880, p. 493

At the end of the nineteenth century, Antoine Plamondon is listed along with Théophile Hamel, Antoine-Sébastien Falardeau (1822-1889) and Napoléon Bourassa (1827-1916) as one of the finest artists Quebec ever produced. He owed this enviable reputation above all to his numerous copies of European religious paintings, of which his Way of the Cross suite remains, without a doubt, the most accomplished example. Curiously, the twentieth century has accorded him quite a different critical fortune. Following the major Plamondon-Hamel exhibition organized by the National Gallery of Canada in 1970,[168] where several religious works, including the second and thirteenth Stations of the Cross, were hung with around forty other paintings, Paul Dumas wrote, "The few religious paintings in the exhibition are frankly mediocre (such as the) two scenes of the Passion, clumsily executed and lifeless in colour..."[169] Nonetheless, the critics admitted the artist's undeniable talent: "In the domain of the portrait, and the portrait from life, Plamondon especially excelled."[170] We must interpret what Dumas wrote then in direct relation to Gérard Morisset's statement that:

"After his return from Paris in 1830, he (Plamondon) painted religious works because he had to make a living; these are not the most interesting of his paintings. Above all, Plamondon is a portraitist; and it is surely as such that he has

74

peint des œuvres remarquables par l'acuité de l'observation et la qualité de l'exécution."[172]

À l'intérieur d'une production picturale abondante et diversifiée (tableaux religieux, portraits, paysages, scènes de genre, natures mortes), le tableau religieux compte pour plus de la moitié de l'œuvre de Plamondon.[173] Cette donnée est éclairante en ce qui regarde les préoccupations dominantes de celui qui se désignait fièrement avant tout comme un "peintre d'histoire".[174] À cet égard, l'artiste nous livre dans *Le Canadien* du 7 août 1833 un témoignage capital, où il s'en prend au rédacteur du *Quebec Mercury* qui n'a retenu lors de sa visite récente à l'atelier du peintre que "(…) some portraits of uncommon merit (…):[175]

> "C'est ici (…) que se montre toute la mauvaise foi de (…) l'éditeur du Mercury. Il y avait (à mon atelier) 9 tableaux d'histoire sacrée, dont 3 de grande dimension et 6 autres plus petits, et quelques portraits aux petits bustes. Pourquoi n'a-t-il pas fait la critique d'aucun de ces tableaux d'histoire suivant leur mérite? Pourquoi ne parle-t-il que de ces petits portraits qu'il dit être d'un rare mérite; pendant que c'étaient les moindres de mon atelier?"[176]

Dès lors, nous ne saurions endosser l'opinion de Morisset selon qui le tableau religieux n'était qu'un nécessaire gagne-pain pour l'artiste qui préférait mettre tout son talent à la réalisation d'œuvres plus personnelles, comme les nombreux portraits que nous lui connaissons.[177]

En délaissant la seule approche esthétique qui, sauf exception, a prévalu jusqu'à présent dans l'étude de l'œuvre de Plamondon,[178] et en redonnant aux tableaux religieux de l'artiste la place qui leur revient dans l'ensemble de sa production picturale, on aborde du même coup un mécanisme essentiel à la compréhension de tout notre art religieux ancien: le phénomène de la copie. De fait, les compositions religieuses originales de Plamondon sont si rares que les journaux de l'époque ne manquent jamais d'attirer sur elles, d'une façon exceptionnelle, l'attention des connaisseurs.[179]

Les nombreuses copies de l'artiste n'en ont pas moins eu un grand succès, comme nous avons pu le constater avec

painted works remarkable for their accuracy of observation and quality of execution."[171]

However, in an abundant and varied pictorial production (religious works, portraits, landscapes, genre scenes, still-lifes), religious works account for more than half of Plamondon's work.[172] This fact should enlighten us as to the preoccupations of a man who proudly, and above all else, referred to himself as a "history painter."[173] A perfect witness to this attitude is preserved in the artist's reply to the editor of the *Quebec Mercury,* who only remembered, from his 1833 visit to the artist's studio, "some portraits of uncommon merit,"[174]

> "This shows… all the prejudices of… the editor of the Mercury. (In my studio) there were 9 paintings of sacred history, 3 large and 6 other smaller ones, and several portraits in bust. Why did he not criticize even one of the historical paintings, according to its merits? Why does he only speak of small portraits, which he says were of uncommon quality — while they are the least of my work?"[175]

Consequently, we should not continue to mimic Morisset, and hold that religious painting was an economic necessity for an artist who would have preferred to turn his talents to more personal works, like the many known portraits.[176]

By leaving aside the uniquely aesthetic approach which has, with a few exceptions, prevailed until now in studies of Plamondon,[177] and returning his religious works to their proper place in the context of his entire production, we also broach an essential aspect of our understanding of all Quebec's early religious art: the phenomenon of the copy. In fact, original religious compositions by Plamondon are so rare that the newspapers of the period never fail to draw the attention of connoisseurs to them.[178]

The many copies by this artist nonetheless had great success, as the history of the Notre-Dame suite shows. To consider the phenomenon of the copy in North America simply as a kind of colonial complex is a false track, because in Europe at the time, and until at least the end of the 1860s, the accomplished copy was considered not simply a method of apprenticeship, but as "an important work of art"[179] in its own right. According to the art

le chemin de croix de l'église Notre-Dame. Ramener aujourd'hui le phénomène de la copie en terre d'Amérique à un simple complexe de colonisé serait faire fausse route, car encore en Europe, et jusque vers la fin des années 1860, la copie de qualité était plus qu'une forme traditionnelle d'apprentissage et s'imposait "comme une œuvre d'art d'importance".[180] Selon l'historien d'art John R. Porter, il nous faut avant tout voir dans cette dépendance de nos artistes vis-à-vis les sources étrangères une volonté plus ou moins consciente de rattrapage culturel.[181] En outre, comment faire fi de l'enjeu monétaire qui est ici en cause? Alors que Plamondon a accepté quinze louis pour chacun des tableaux de son chemin de croix, tous des copies faites à partir de sources peintes ou gravées, on sait qu'il n'aurait pas exigé moins de trente-cinq louis par station pour un chemin de croix composé de sujets originaux.[182] Si l'on tient compte de cet écart, on comprend bien pourquoi les commanditaires préféraient plutôt s'en tenir à des copies.[183] D'autre part, aux yeux du client qui imposait généralement à l'artiste le modèle à copier,[184] la gravure ou le tableau européen constituait une valeur sûre qu'on avait tendance à privilégier.

La trop grande liberté qu'avait prise Plamondon avec son chemin de croix, faute justement "de directions suffisantes",[185] et les conséquences que l'on connaît ont eu des répercussions inévitables sur le milieu artistique québécois de l'époque. En effet, ce n'est que beaucoup plus tard que nos artistes locaux se verront de nouveau confier de pareilles entreprises. Entre-temps, les fabriques préféreront importer d'Italie ou de France leurs chemins de croix.[186] Pour faire taire les tenants d'un art national à qui cette attitude déplaisait, on n'hésitera d'ailleurs pas à citer en exemple l'échec de Plamondon.[187] À partir de la fin du 19e siècle toutefois, le prestige des œuvres européennes, sans jamais être remis en cause,[188] sera de plus en plus confronté à une production locale. Après des débuts hésitants, cette production aura appris à s'adapter au marché et à devenir de plus en plus compétitive, avec des peintres tels que Charles Huot (1855-1930),[189] Ozias Leduc (1864-1955),[190] Louis Saint-Hilaire (actif 1880-1920),[191] Georges Delfosse (1869-1939)[192] et même Paul-Émile Borduas (1905-1960).[193] Ce n'est que tardivement par contre, et on en ignore les raisons exactes, que nos sculpteurs se mettent à leur tour à la tâche. Retenons

historian John R. Porter, we must above all view our artists' dependence on foreign sources as a more or less conscious attempt to catch up culturally.[180] There is also an economic factor to consider. While Plamondon accepted fifteen louis for each painting of his suite, all copies taken from paintings or engravings, we know that if original compositions were demanded, he would have asked no less than thirty-five louis each.[181] In view of such a price difference, it is easy to see why clients in general preferred copies.[182] Moreover, in the eyes of the client, who generally selected the artist's models,[183] European paintings and engravings had a solid prestige and value that tended to make them more desirable.

Plamondon took too many liberties with his Way of the Cross suite, due to "insufficient direction";[184] the consequences of this had inevitable repercussions on the Quebec artistic milieu. It was only much later that local artists would again be entrusted with such works. In the meantime, the church fabrics preferred to import their Stations of the Cross from France or Italy.[185] To silence those supporting a national art who were displeased by such an attitude, the authorities did not hesitate to mention Plamondon's failure.[186] The prestige of European works, which was never actually challenged,[187] was, from the end of the nineteenth century, more and more confronted with local productions, which, after tentative beginnings, adapted to the market and became more competitive. Examples are Charles Huot (1855-1930),[188] Ozias Leduc (1864-1955),[189] Louis Saint-Hilaire (active 1880-1920),[190] Georges Delfosse (1869-1939)[191] and even Paul-Émile Borduas (1905-1960).[192] It was only later, why exactly we do not know, that our sculptors took up similar work. Examples are Lauréat Vallière (1883-1973),[193] Médard Bourgault (1897-1967),[194] Elzéar Soucy (1876-1970),[195] Émile Brunet (1893-1977),[196] Sylvia Daoust (born 1902),[197] Marius Plamondon (1914-1976),[198] Louis Parent (1908-1982)[199] and Jordi Bonet (1932-1979).[200] This is an impressive list, enough so that we may question why so little has been done until now with the works of a good number of our "manufacturers of Stations of the Cross", as Gérard Morisset somewhat disparagingly refers to them.[201] Many of them, through varying techniques and using sometimes diametrically opposed artistic conceptions, have produced significant works which today deserve serious attention. In this light alone, the

principalement ici les noms de Lauréat Vallière (1883-1973),[194] Médard Bourgault (1897-1967),[195] Elzéar Soucy (1876-1970),[196] Émile Brunet (1893-1977),[197] Sylvia Daoust (née en 1902),[198] Marius Plamondon (1914-1976),[199] Louis Parent (1908-1982)[200] et de Jordi Bonet (1932-1979).[201] On peut finalement remettre en cause le peu de cas que l'on a fait jusqu'à maintenant de la production de bon nombre de ces "fabricants de chemins de croix", comme les appelait un peu méprisamment Gérard Morisset.[202] À l'aide de techniques variées et s'appuyant sur des conceptions artistiques parfois diamétralement opposées, plusieurs d'entre eux produiront des ensembles remarquables qui méritent aujourd'hui toute notre attention. Dans cet esprit, le chemin de croix peint par Antoine Plamondon entre 1836 et 1840 pour l'église Notre-Dame de Montréal apparaît à bien des égards comme l'œuvre d'un précurseur.

Way of the Cross suite painted by Antoine Plamondon between 1836 and 1840 for the Church of Notre-Dame de Montréal appears as a major achievement of our artistic past.

APPENDICE 1

Trois lettres d'Antoine Plamondon à Joseph-Vincent Quiblier, supérieur des Sulpiciens et grand vicaire de Montréal, au sujet du chemin de croix de l'église Notre-Dame de Montréal (*QMAPND*, Boîte 30, Chemise 36).

NOTE: Ces lettres ont été publiées avec d'importantes corrections quant à l'orthographe dans le catalogue de l'exposition *Deux peintres de Québec: Antoine Plamondon (1802-1895). Théophile Hamel (1817-1870),* (Ottawa, Galerie nationale du Canada, 1970, p. 45-56). Nous les reproduisons ici dans leur version originale.

Québec 18 juin 1939

Monsieur le G. Vicaire

J'ai le plaisir de vous annoncer que j'achève vos 14 tableaux de la Passion de N. Seigneur pour votre chemin de la Croix.
J'espère vous transporter cet immense collection à Montréal vers le 15 d'aout.
si vos moyens ne vous permette pas de faire dorer les cadres enplain, dumoins doivent-ils êtres peinturée en jaunes claires, telle qu'Erables piqué, avec filet d'ore tout auxtoure, cette couleure est de nécessité apsolut, pour faire ressortire les tableaux & faire en même temps ornements dans votre magnifique Eglise.

Je demeur avec le plus profond respect Monsieur le G.V. & Supérieur votre serviteur très-humble

Ant, Plamondon artiste

APPENDIX I

Three letters from Antoine Plamondon to Joseph-Vincent Quiblier, Superior of the Gentlemen of St. Sulpice and Vicar-General of Montreal, concerning the Way of the Cross suite for the Church of Notre-Dame de Montréal *(QMAPND)*, Box 30, File 36).

NOTE: These letters were published with major corrections in spelling in the catalogue of the exhibition *Two painters of Quebec: Antoine Plamondon (1802-1895). Théophile Hamel (1817-1870),* (Ottawa, the National Gallery of Canada, 1970, pp. 45-56). We reproduce them here in a new English translation from the originals.

Quebec City, June 18, 1839

Monsieur The Vicar-General

I have the pleasure of announcing to you the completion of your 14 paintings of the Passion of Our Lord for your Way of the Cross.
I hope to transport this immense collection to Montreal around August 15.
If your means do not permit you to gild the frames completely, at least they should be painted in clear yellows, such as Maple piqué, with a band of gold all around, this colour is of absolute necessity, to make the paintings stand out and also at the same time ornament your magnificent church.

I remain, with the most profound respect, Monsieur the Vicar-General and Superior, your very-humble servant,

Ant. Plamondon artist

Québec 16 Décembre 1839

Monsieur le Supérieure

J'ai reçu votre lettre du 7 courant,
La réponse de Rome est vraiment incroyable!
Il est ordonné, par les Souverains Pontifes que tout
prêtres qui voudra établire un chemin de la croix, se
fera autoriser par heu, à bénir 14 croix, afin que les
fidèlles puisent faire une une station devant
chaqu'une delles. Et, que faut-il faire pour gagner les
Indulgences du chemin de la croix? quelle prières
faut-ils réciter devant chaqu'une de ces croix? Le
voici: Voici ce qu'on lit à la page 92 et 93 du
viacrucis, livre publiez à Paris en 1828, et approuvez
par les principeaux archevêque de france.
A l'égard des prières, on en voit plusieurs dans les
ouvrages qui traitent de cette dévotion. A l'exception
des six Pater, Ave et Gloria, que l'on dit à la fin,
aucune n'est prescrite pour gagner les Indulgences.
Les Souverains Pontifes n'exigent autre chose que la
méditation sur la Passion, "Il n'est pas nécessaire, dit
le cardinal Pico, de réciter six Pater et six Ave à
chaque station, comme quelques-uns ont voulu le
supposer, mais bien de méditer, et encore brièvement
sur la Passion du Sauveur. C'est tout ce qui est requis
pour gagner les Indulgence. Conformément à l'usage
introduit, on pourra réciter, devant chaque Croix, un
Pater et un Ave, et faire un acte de contrition." Cet
acte remplace la méditation pour les fidèles qui sont
incapable de méditer:
"de méditer sur la Passion du Sauveur!!! &c. &c.
Et, bien Mons. c'est la Passion véritable que je vous
ait faite de ce même Sauveur, Peut-on avoir un plus
beau sujet devant les yeux, pour cette méditation que
les Papes ont ordonnez?
"on pourra réciter devant chaque Croix &c. &c. Et,
pourquoi le Cardinal Pico ne dit-il pas aussi, devant
chaque tableaux....?
Les tableaux ne sont donc pas d'une nécessité absolut?
oui, sertainement, les tableaux ne sont pas
nécesserent pour établire un chemin de la croix, mais
14 croix sculpté en relièfe, sont d'une nécessité
absolut. On peut donc faire un chemin de la croix
qu'avec 14 croix seulement, si on peut le faire ainsi,
on est donc maître de mettre au dessous de

Quebec City, December 16, 1839

Monsieur the Superior

I received your letter of the 7th.
The answer from Rome is really incredible!
It is ordained, by the Pontifical Authorities, that all
priests who wish to establish a Way of the Cross, be
authorized by them, to bless 14 crosses, so that the
faithful may make a station before each of them. And,
what must be done to receive the Indulgences of the
Way of the Cross? What prayers must be recited
before each of these crosses? Here they are: See what
you read on page 92 and 93 of the via crucis, book
published in Paris in 1828, and approved by the
principal archbishops of france.
Regarding prayers, we see several in the works
concerning this devotion. Excepting six Pater Nosters,
Aves and Glorias, said at the end, none is specified to
receive the Indulgences. The Pontifical Authorities
require nothing else than meditation on the Passion,
"It is not necessary, says Cardinal Pico, to recite six
Paters and six Aves at each station, as some have
supposed, but only to meditate, and that briefly, on
the Passion of the Saviour. This is all that is required
to gain the Indulgence. In conformity with the usage
introduced, one may recite a Pater and an Ave before
each Cross, and make an act of contrition." This act
replaces meditation for the faithful who cannot
meditate:
"to meditate on the Passion of the Saviour!!! &c. &c.
Well, Monsieur, it is the true Passion I have made of
this same Saviour, Can one have a more beautiful
subject before the eyes, for this meditation that the
Popes have ordered?
"one may recite before each Cross &c. &c. And, why
did Cardinal Pico not say, before each painting...?
The paintings are therefore not an absolute necessity?
yes, certainly, the paintings are not necessary to
establish a Way of the Cross, but 14 crosses sculpted
in relief are an absolute necessity. One might thus
make a Way of the Cross with 14 crosses only, if one
may do this, one is thus allowed to put below each of
these crosses a painting of the Passion of Christ,
without asking permission from the Holy
Congregation, that much more since the Popes have

chaqu'une de ces croix un tableau de la Passion du Sauveur, sans en demander la permission à la congrégation des Rites d'autant-plus que les Papes ont ordonné de méditer sur la Passion, pour gagner les indulgences du chemin de la croix.

Il y a dans le districte de québec, plusieurs chemins de la croix établis avec 14 croix seulement, sans aucun tableaux quelconque.

Maintenant, Monsieur, je suis bien fachez de vous le dire, mais je ne pourrez jamais me déterminer à vous faire un chemin de la croix tel que celui que vous me demander, Parceque, tous les chemins de la croix que j'ai vue, tant à Montréal qu'à québec, ainsi que ceux que j'ai fait venir moi même de france, Ce sont toutes dije des compositions ridicule, tant paraport à la disposition des personnages, qu'au dessin et à l'expression des figures, Il faudrais donc en composer un moimême, et je ne le ferez pas amoins de trente cinq louis chaque tableau.

Une forte raison qui devrait vous faire renoncer à faire faire l'ensien chemin de la croix, c'est qu'il y a trois ou quatre sujet qui ne sont pas dutout historique, et qu'il y en a six ou sept qui produisent absolument le même effet, — c'est adire que, sesont tous des portecroix.

Vous sentez-bien, qu'il serais vraiment disgracieux, pour l'ornement d'un Edifice aussi considérable qu'est votre Eglise, d'avoir un aussi grand nombre de tableaux d'une monotonni si affreuse, ses tableaux ne serait d'aucun interait pour les amateurs des beaux art dans une Eglise.

Je vous remercie-bien Mons. et je vous suis très reconnaissant pour la préférence que vous me donnez sur tout autre artiste pour les tableaux de votre Eglise. Néanmoins, je crois prévoir que vous aller perdre la magnifique colection que je viens de vous finir.

Cette collection a emporté les suffrages les plus grands et les plus universelles à québec, toutes les principalles familles anglaise et francaise l'avisiter, pendant l'Exhibition que j'ai été obligéz de prolongez durant trois semaine de temps. Nous avons vue un grand nombre de personnes, verser des larmes devant un Jésus au jardin des Olives, — soufleter chez Caïf, — flageller, — couronné d'épines, — &c &c...

Les meuilleurs amateures Englais ont estimer cet colection a mille louis, d'autres a sept cent louis,

ordered meditation on the Passion, to win the indulgences of the Way of the Cross.

In the district of Quebec, there are several Ways of the Cross established with only 14 crosses, without any paintings whatsoever.

Now, Sir, I am very sorry to have to tell you, but I could never set myself to make you a Way of the Cross as you had asked me, Because, all the Ways of the Cross I have seen, in Montreal as well as in Quebec City, as well as those I brought myself from france, they are all... ridiculous compositions, as much by the disposition of the figures, as by the drawing and the expression of the figures, it was necessary then to compose one myself, and I could not do it for less than thirty five louis each painting.

A good argument, which should make you renounce the creation of the old Way of the Cross, is that there are three or four subjects which are not at all historical, and there are six or seven which produce absolutely the same effect — that is to say they all show the carrying of the cross.

You will well feel that it would be truly disgraceful, for ornamenting an Edifice so important as is your Church, to have such a great number of paintings of such awful monotony, these paintings would be of no interest to art connoisseurs in a Church.

I thank you — very much, Mons. and I am very grateful for the preference you have shown for me above all other artists for the paintings for your Church. Nevertheless, I am afraid you will lose the magnificent collection that I have just finished for you.

This collection has received the approval of a wide and very numerous public in Quebec City, all the principal French and English families have seen it, during the three-week Exhibition that I was obliged to prolong. We saw a great number of people weep before Jesus in the Garden of Olives — the slap before Caiaphas — the Flagellation — the crown of thorns, &c. &c..

The best English connoisseurs have estimated this collection at a thousand louis, others at seven hundred louis, others still (the canadians) at the lowest five hundred louis. Yet you were the master of it for two hundred louis!!! and you are still the master.

I take again the liberty of telling you that your Church

d'autres enfin (les canadiens) auplus bas à cinq cent louis. Cependant vous en étiez maître pour deux cents louis!!! et vous en êtes encore le maître.

Je prendré encore, la liberté de vous dire que votre Eglise regretteras la pertes de cette collection qui est composer que de sujets historiques et de la plus grande piété.

De très mauvais peintres, copiants, de très mauvaise gravures, ne pourront vous faires que de très mauvais tableaux du chemin de la croix, telle que les 4 que vous avais déjà faites Mr. Bowman. Ses 4 tableaux sont placé dans des corridors noir du couvent des Ursullines de québec, ils sont si exécrablement mal faites, qu'on m'en a donné que deux piastres chaque, encore étesseque pour me faire plaisire qu'elle les ont acheter à ce prix.

Il n'est pas possible de tirer partis, aucun, de ces 4 tableaux, si nous ne nous arangons-pas, je vous remettrez ces 4 vilains placares, si vous l'exigez.

Monsieur, Si vous désirez répondre à cette lettre, vous me rendrez service en le faisant aussitot-possible, car, autrement, j'annoncerer publiquement la vente de nos 14 tableaux de la Passion, dans quelques jours.

En attendant je demeure bien-parfaitement

Votre très-humble serviteur

Révéd Messire Quiblier
Vicaire Général & Supérieur
du Séminaire de Montréal

Ant. Plamondon artiste

———————————————

will regret losing this collection which is composed only of historical subjects of the greatest piety.

Very bad painters, copiers, of very bad engravings, cannot but make you very bad paintings of the Way of the Cross, such as the 4 Mr. Bowman already made you. These 4 paintings have been hung in the dark corridors of the Ursulline convent in Quebec City, they are so execrably badly done that they gave me only two piastres each, and even at that price, just to please me.

It is not possible to get any use out of these 4 paintings, if we cannot arrange things, I will give you back those 4 ugly daubs, if you wish.

Sir, if you wish to answer this letter, you would do me a kindness to do so as soon as possible, because, otherwise, I will publicly announce the sale of your 14 paintings of the Passion, in a few days.

Awaiting a response, I remain, very-much

Your very-humble servant

Rev. Messire Quiblier,
Vicar-General and Superior
of the Seminary of Montreal

Ant. Plamondon artist

———————————————

Québec, 1er mai 1841

Monsieur,

Les Reved. Dames de l'Hotel-Dieu ayant besoin du grenier où cetrouve mon atelier, je suis obliger de l'évacuer, de suite, De sorte que je suis sans logements pour placer vos 14 tableaux terminée,
Il faut donc vous déterminer à l'ai reçevoires, vous pourrier l'es placer dans le grenier de votre Séminaire ou dans quelques Sacristie vacantes, en attendant l'es 8 autres qui doivent suivres pour les placer dans votre belle Nef.
Pour éviter des frêts de transport trop grand, je vais rouler les tableaux l'un sur l'autre, mais dans ce cas je serez obligé d'accompagner les tableaux moimême pour l'es retendre sur leurs chassis, à Montréal.
An attendant vos ordres, pressez,

J'ai bien l'honneur d'être avec le plus profond respect

Monsieur le G.V.,

Votre très humble et très obéissant serviteur

Ant, Plamondon peintre

Révérend Messier Quiblier
Grand Vicaire, Supérieur du
Séminaire de Montréal, &&

Quebec City, 1st May, 1841

Sir,

The Reverend Ladies of Hôtel-Dieu having need of the attic where I have my studio, I am obliged to move, at once, in such a manner that I have nowhere to store your 14 finished paintings,
You must therefore determine where you will receive them, you could place them in the attic of your Seminary or in some vacant Sacristy, awaiting the 8 others which will follow, to place them (all) in your beautiful Nave.
To avoid too high a transport cost, I am going to roll the paintings up, one on top of the other, but in this case I will be obliged to accompany the paintings myself to restretch them on their frames, in Montreal.
Awaiting your orders, in haste,

I have the honour to be, with the very greatest respect,

Monsieur the Vicar-General,

Your very humble and very obedient servant

Ant. Plamondon painter

Reverend Messire Quiblier
Vicar-General, Superior of
the Seminary of Montreal, &&

APPENDICE 2

Un Amateur, "Exposition de peinture. — La passion de S.N. Jésus-Christ, en 14 tableaux de 8 pieds sur 5, par M. Antoine Plamondon", *Le Canadien*, 6 décembre 1839, p. 2.

Le sauveur du monde avait passé les trente premières années de sa vie dans l'obscurité; mais trois ans s'étaient déjà écoulés depuis qu'il étonnait la Judée du bruit de ses prodiges. Je me tourmentais vainement depuis longtemps de le rencontrer, lorsque j'arrivai sur le soir à la ville sainte, on me dit que ce même jour il avait fêté la Pâque avec ses disciples, et qu'il ne devait pas être loin de la ville.

Je ne perdis donc pas espoir; après avoir erré une partie de la nuit par les rues de Jérusalem, j'arrive au jardin des Oliviers. Tout était silencieux et semblait présager quelque lugubre événement. Je vis des personnes étendues sur l'herbe et dormant d'un profond sommeil; plus loin apparaissait un homme de douleur, il était à genoux. Je me croyais dans une solitude immense, qui semblait s'augmenter et devenir plus taciturne par les ténèbres de la nuit.

Mais au milieu de l'obscurité on voyait une lumière éclatante autour du Christ et de l'ange qui venait le consoler. Je portais mes yeux de toutes parts; mon imagination ne pouvait saisir à la fois le contraste et l'étendue de cette scène. Mais mon attention se reportait sans cesse sur le Sauveur.

Alors je vis toute l'immense douleur du fils de Dieu; il était souffrant; ses mains et ses yeux étaient tournés vers le ciel; il offrait ses inexprimables maux à son père pour les péchés des hommes. On voyait dans sa sublime expression de tristesse et d'accablement que celui qui avait mis en lui toutes ses complaisances et qui l'aimait tendrement l'avait abandonné et versait sur lui les rigueurs de sa justice.

APPENDIX II

An "Amateur": "Painting Exhibition — The Passion of O.L. Jesus Christ, in 14 paintings 8 feet by 5, by M. Antoine Plamondon", *Le Canadien,* December 6, 1839, p. 2 (translated from the French).

The Saviour of the World had passed the first thirty years of His life in obscurity; but three years had already passed since all Judea had resounded to the news of His miracles. I suffered for a long time with the vain desire to meet Him, when I arrived in the evening in the Holy City, and was told the same day He had celebrated Easter with His disciples, and that He must not be far from town.

I thus did not lose hope; after having wandered part of the night through the streets of Jerusalem, I came to the Garden of Olives. All was silent and seemed to await some terrible event. I saw people lying on the grass in a profound sleep; further on appeared a grieving man, on his knees. I felt I was in an immense solitude, which seemed to increase and grow more silent with the shades of night.

But in the midst of the darkness I saw a brilliant light around Christ and the angel that came to comfort Him. I looked everywhere; my imagination could not encompass both the contrast and the sheer breadth of this scene. But my attention ceaselessly came back to the Saviour.

Then I saw the immense pain the Son of God was suffering; His hands and eyes searched the heaven; He offered His inexpressible tortures to the Father for the sins of men. One saw in the sublime expression of sadness and devastation that He who the Father had loved tenderly and shown all favours to had been abandoned, and all the intractable justice of the Father rained down upon Him.

Sinners, as the Scriptures say, had weighted the yoke on His shoulders so heavily that He could no longer support it. He looked at Himself with unspeakable horror, He was

Les pécheurs, comme dit l'écriture, avaient aggravé son joug et l'avaient rendu si pesant qu'il ne pouvait plus le supporter. Il se regarde avec d'indicibles horreurs, il va succomber, il va défaillir dans sa tristesse mortelle. La douleur de son âme sainte est si grande, ses peines sont si affreuses et se reproduisent si énergiquement sur sa figure, qu'on croit qu'il va expirer et qu'il aurait, en effet, expiré, si, dans cette terrible épreuve de souffrance, sa divinité n'eût porté secours à son humanité.

Mon père, s'écrie-t-il, faites que ce calice passe loin de moi; mais que votre volonté se fasse et non la mienne. A la vue de tous les crimes et de toutes les horreurs de l'univers qui se déroulent devant lui et dont il doit subir le châtiment, la frayeur s'empare de son esprit; il a besoin qu'un ange vienne lui présenter le calice pour lui en adoucir les amertumes. Comme cet ange paraît profondément craintif et respectueux, comme il semble bien reconnaître que c'est son maître qu'il vient soulager!

Plus loin, les disciples bien-aimés du Sauveur qui dorment paisiblement, et qui paraissent insensibles aux souffrances de leur bon maître, semblent augmenter sa douleur et sa tristesse. Et Jérusalem, qui paraît faiblement dans le lointain, à travers les ombres de la nuit, ne semble-t-il pas lui dire, au milieu des horreurs de son agonie: Ville ingrate et inconstante! il y a peu de jours j'entrais triomphant dans ton sein, tu m'appelais fils de David, tu me glorifiais; maintenant tu me couvres d'opprobre et d'ignominie! Jérusalem! Jérusalem! si tu savais ce qui t'est réservé! si tu savais les maux qui vont tomber sur toi! si tu connaissais le crime que tu vas commettre! si tu connaissais celui que tu fais mourir! peut-être cesserais-tu tes fureurs, peut-être, par tes larmes et tes prières, fléchirais-tu la justice de mon père, peut-être adoucirais-tu la rigueur de ses jugements! Jérusalem! Jérusalem!

Je frissonnais à l'étonnante expression de la crainte et de la tristesse du Sauveur et je me disais à moi-même: Qu'il est beau le talent qui peut ainsi tracer les beautés et les horreurs de la nature, qui peut reproduire avec le pinceau, et si distinctement, tant de diverses passions et de divers sentiments! Qu'il connaît bien le cœur de l'homme, et qu'il a bien examiné ses effets sur le visage, quand il y retrace ses diverses nuances avec tant de vérité!

going to succumb, to fall into mortal dispair. The pain in His holy soul was so great, His sufferings so terrible and so energetically expressed in His face, that it seemed as if He would die and, in fact, He would have died, if, in this terrible crucible of suffering, His divinity did not come to the rescue of His humanity.

My Father, he cried, take this cup from me; but thy will, not my will, be done. Seeing before Him all the crimes and all the horrors of the universe, which He must suffer the punishment for, terror lay hold of His soul; he needed an angel to come to Him with the chalice to relieve His bitterness. How profoundly humble and fearful the angel seems, as if he knows that it is his own Master he comes to comfort!

Farther away, the beloved disciples of the Saviour sleep peacefully and appear unaware of the sufferings of their Master, which seems to increase His pain and His grief. And Jerusalem, which appears far away in the distance, through the shades of night, doesn't He seem to be telling her, in the middle of the horrors of His agony: Ungrateful and fickle city! Only a few days ago I entered triumphant, you called me the Son of David, you glorified me; now you cover me with shame and ignominity. Jerusalem! Jerusalem! If you knew your future! If you knew the evils which will fall upon you! If you understood the crime you are committing! If you knew who you are putting to death! Perhaps you would cease your fury, perhaps, through tears and prayers, you could appease my Father's justice, perhaps you would soften the severity of His judgement! Jerusalem! Jerusalem!

I shivered at the astonishing expression of fear and grief on the Saviour's face, and said to myself: "How beautiful is a talent which can thus evoke the beauties and the horrors of nature, which can reproduce with the brush, and so distinctly, so many passions and feelings! He knows well the human heart, and has well noted its effects on the face, when he can draw its many nuances with such truth!"

There are circumstances in which art almost joins nature, and in this magical painting of the Garden of Olives, the artist found the secret of imitating without ever exceeding. Let us then admire this brush, now firm and vigourous, now tender and supple, sometimes rapid and energetic, like the thoughts it expresses, sometimes slow

Il y a des circonstances où l'art va presque aussi loin que la nature, et c'est dans ce magique tableau du jardin des Olives que le peintre a trouvé le secret de l'imiter sans jamais l'outrepasser. Admirez donc ce pinceau tantôt ferme et vigoureux, tantôt tendre et moëlleux, quelquefois énergique et rapide comme la pensée qu'il exprime, quelquefois lent et paisible, sans être jamais timide ni trainé; d'autres fois, pour ainsi dire plaintif et désolé et coulant sur la toile comme les larmes de la douleur, toujours abondant, toujours riche, toujours harmonieux, toujours varié comme la circonstance.

Mais pendant que l'artiste m'arrête par l'illusion de son pinceau, la nuit s'avance et Judas arrive avec une troupe de brigands pour se saisir de Jésus. Au profond silence qui régnait tout à l'heure succède un affreux tumulte. Le traître disciple embrasse son maître, le signal est donné, et l'on s'empare du Sauveur. Pierre terrasse Malchus. Tous ces visages furieux qui ne respirent que la haine et la vengeance et qui contrastent avec la douceur du Christ, toutes ces expressions si variées et si fortement tracées, cette lumière vive et rapide des torches et des flambeaux, qui se jette, pour ainsi dire, sur tous les objets; ces ombres fortes et vigoureuses qui sont à l'opposé des lumières, donnent au tableau un mouvement et une action que rien ne peut surpasser.

Je suivis tristement la troupe qui entrainait Jésus, et j'entrai avec elle chez Caïphe. Pendant que le Grand Prêtre se désole à interroger le Sauveur sans en pouvoir tirer de réponse, celui-ci demeure immobile et silencieux. Le tumulte des Juifs d'un côté, et la fureur qui s'excède inutilement de l'autre; l'étonnant mouvement du bras de celui qui frappe le Sauveur, dont la bouche est ouverte pour dire: Si j'ai bien parlé, pourquoi me frappez-vous? le contraste frappant des ombres et des lumières comme dans le précédant tableau, donnent à la scène beaucoup de relief et d'action.

Mais au milieu de ce tumulte une servante vint qui dit à Pierre se chauffant auprès d'un grand feu: Vous étiez aussi avec Jésus de Nazareth. — Dans ce tableau, comme la scène se passe la nuit, j'aurais les mêmes contrastes, les mêmes effets d'ombres et de lumières à observer, si ce n'est qu'ils sont plus piquants encore, j'aurais à louer la même beauté et la même richesse de coloris; mais les ténèbres de la nuit se sont évanouies et le jour paraît; Jésus est déjà chez Hérode, je cours l'y rejoindre.

and peaceful, without ever being timid or dragging; other times, as if sorrowing and grieving, weeping onto the canvas like tears of grief, always generous, always rich, always harmonious, always as varied as circumstance.

But while the artist held me spellbound by the illusion of his brush, the night advanced and Judas arrived with a troop of rabble to seize Jesus. To the deep silence of moments ago succeeds a terrible tumult. The traitorous disciple kisses his master, the signal is given, and the Saviour is seized. Peter knocks Malchus down. All these furious faces breathing hatred and vengeance, who contrast with the sweetness of Christ, all these so varied and forcefully rendered expressions, the flashing, living light of the torches, falling on everything; these strong, vigourous shadows opposing the light, give the painting a movement and activity which cannot be surpassed.

I sadly follow the troop dragging Jesus away, and enter Caiaphas' house with them. While the High Priest tries to interrogate the Saviour, without receiving an answer; Jesus remains silent and still. The tumult of the Jews on one side, the fury uselessly spent on the other, the astonishing movement of the arm of he who strikes Christ, whose mouth is open to say: "I have told the truth, why do you strike me?" The striking contrast between light and shade as in the previous painting, gives this scene much relief and action.

But in the midst of this tumult, a servant girl comes out, and says to Peter, warming himself by the fire: "You were also with Jesus of Nazareth." — In this painting, as it is a night scene, I would mention the same contrasts, the same effects of light and shadow, except that they are yet more striking, I would praise the same beauty and richness of colour. But the shades of night recede and dawn is breaking; Jesus is already before Herod, and I run to join Him.

This prince is seated on his throne, surrounded by his court; Jesus is standing quietly and impassively, and he answers nothing to all Herod's questions. His face is beautiful and majestic; and all the pomp and richness surrounding Herod cannot tarnish the glory of Christ, whose divine expression makes it clear at a glance who is the central figure of the painting.

This is one of the greatest difficulties presented to the artist, as to the dramatic poet — the reproduction on

Ce prince est assis sur son trône, environné de ses courtisans; Jésus est debout, tranquille, impassible, à tout ce que peut dire Hérode il ne répond rien. Sa figure est belle et majestueuse; et malgré toute la richesse et toute la pompe dont Hérode est environné, il ne peut ternir l'éclat du Christ, dont l'expression divine le fait paraître au premier coup d'œil le premier personnage du tableau.

Il se présentait une de ces grandes difficultés qui s'offrent quelquefois au peintre comme au poëte dramatique. C'était de reproduire sur la toile un personnage illustre par ses victoires et sa valeur, assis sur un trône éclatant, et accompagné de sa nombreuse cour; il lui fallait conserver toute la hauteur de son caractère, et cependant diriger tout l'intérêt sur le Christ, qui est là dans la douleur et l'abattement et qui doit cependant briller avec plus d'éclat à travers le nuage affreux d'opprobre dont il est couvert. Il faut que cette lumière éclatante, faite pour éclairer le monde, laisse venir jusqu'à nous un rayon de sa splendeur et de sa divinité. — Eh bien! voyez si le peintre a lutté vigoureusement, considérez le Christ et dites si on ne le reconnaîtrait pas pour le plus beau des enfants des hommes.

D'un autre côté considérez Hérode; l'artiste lui a conservé tout son air martial, tout son caractère et toute la noblesse de son courage, mais aussi toute la bassesse de son âme, toute son hypocrisie et toute sa jalousie contre la renommée du Sauveur. Il n'a pas voulu répondre à son attente en fesant des prodiges; voyez son dépit, son ris forcé et dédaigneux, son ironique figure et son désespoir. Il livre le Sauveur à la risée de toute sa cour: considérez ces personnages secondaires, qui ont toute la bassesse de leur maître, sans en avoir la noblesse; voyez les diverses passions qui les agitent, et que le peintre a si fidèlement rendues.

Je voudrais m'arrêter un instant, non seulement sur l'expression des figures, mais encore et plus particuliè-rement ici sur le coloris, sur la beauté des draperies, sur leur harmonie, sur celle de tout l'ensemble, sur la correction et sur la perfection du dessin, dont j'aurais dû parler plustôt; mais Jésus est déjà chez Pilate, déjà on l'attache à une colonne et on se prépare à le frapper.

canvas of a character known for his courage and triumphs, seated on a shining throne, and accompanied by his court; all the magnificence of his character must be preserved, while, at the same time, directing all interest to Christ, who is in pain and despondent, and who yet must shine all the more brilliantly through the terrible cloud of shame covering Him. It requires that brilliant light, created to shine on the world, to send down a beam of splendour and divinity — Well! Only see if the artist did not struggle mightily, consider the Christ figure, and declare if He cannot be recognized as the most beautiful of the children of men.

On the other hand, consider Herod; the artist conserved his martial air, all his character, his nobility and courage, but also the baseness of his soul, all his hypocrisy and jealousy before the fame of the Saviour. He doesn't come up to expectations; He doesn't make miracles; we see Herod's spite, his forced and disdainful laugh, his ironic face, and his despair. He delivers Christ to the scorn of the court: consider the secondary figures, who have all their master's baseness without his nobility; see the many passions that seethe among them, which the artist so faithfully captures.

I would like to stop for a moment, not only on the expression of the figures, but again and most particularly on the colouring, the beauty of the drapery, their harmony, on the harmony of the entire work, on the precision and perfection of the draughtsmanship, which I should have mentioned before; but Jesus is already before Pilate, already He is being tied to the column, and they are making ready to flog Him.

I will say nothing of this painting, in which I would find much to praise; a crown of thorns is forced on the Saviour's head. His face is calm, yet profoundly grieved and suffering; He is chained, yet we see there is no need; He is resigned, He is mute as a lamb before the sheep shearer. His sufferings are so acute and so strong that He bends under the weight of His sorrows. What beautiful submission in this man of sorrows! How touching it is, how sublime!

When I see the Saviour thus bowed under the sharpness of His pain, I curve my own back involuntarily, as if I too

Je ne dirai rien de ce tableau dans lequel j'aurais beaucoup à louer; d'ailleurs on enfonce sur la tête du Sauveur une couronne d'épines. Sa figure est calme, quoique profondément douloureuse; il est lié par des chaînes, et cependant on voit qu'il n'en a pas besoin; il se résigne, il est muet comme l'agneau devant celui qui le tond. Ses souffrances sont si piquantes et si aigües qu'il se courbe sous le poids de ses maux. Quelle belle soumission dans cet homme de douleur! Qu'elle est touchante et sublime!

Quand je vois le Sauveur se plier ainsi sous l'acuïté de son mal, je me courbe involontairement moi-même, comme si je ressentais la douleur, et je suis prêt de m'écrier: Arrête, barbare, arrête ta main de fer, n'enfonce pas ces cruelles épines dans ce fron auguste; tu ne sais donc pas que c'est ton maître et ton Sauveur que tu fais souffrir. Regarde la candeur et la majesté répandues sur sa figure; alors tu laisseras échapper cet instrument de son supplice et tu te prosterneras devant celui que tu te plais à déchirer.

La richesse de ce tableau mêlée à un beau clair-obscur, l'énergique position de celui qui enfonce la couronne, la mélancolie silencieuse qui règne dans toute cette scène si vraie, si naturelle, toutes ces choses produisent un charme inexprimable, et plongent le spectateur dans l'illusion.

Quoique Jésus soit déjà sur la galerie du palais, couvert d'un lambeau de pourpre qui cache ses plaies, et exposé à la fureur d'un peuple qui naguères l'adorait; quoique je pourrais dire beaucoup sur le coloris, sur la beauté des accessoires qui étaient là nécessaires à cause de la simplicité du sujet, cependant je n'en dirai rien, parce que le temps me manque. Je laisse au spectateur qui aura plus de sang-froid que les juifs, à juger si ce n'est pas un des plus beaux tableaux de la collection. Cependant je puis bien vous dire en passant que le peintre a parfaitement tracé les divers caractères, et qu'il a bien conservé à Pilate celui que lui donne l'histoire.

Hâtons-nous, le Sauveur est en marche pour le Calvaire. Il est si faible qu'il vient d'écraser sous le poids de sa pesante croix; on le relève. Il est égaré, ses yeux sont couverts comme d'un nuage; cependant il aperçoit les saintes femmes qui le suivent en gémissant; et comme

felt the pain, and I am ready to cry out: Stop, barbarian, stop your iron hand, do not force those cruel thorns on that noble brow; you must not know that it is your Master and Saviour you are torturing. See the candour and majesty of His face. Let fall the instrument of pain, and fall down before Him whom you seem pleased to hurt.

The richness of this painting, mixed with a beautiful chiaroscuro, the energetic position of the figure forcing on the crown, the silent melancholy which reigns over this so realistic, so natural scene, all these things produce inexpressible magic, and draw the spectator into the illusion.

Although Jesus is already on the palace balcony, a ragged purple mantle covering His wounds, exposed to the fury of a mob who a short time ago adored Him; although I could speak at length about the colouring, the beauty of accessories which are necessary, due to the simplicity of the subject, I will say nothing, because I haven't the space. I will leave it to the spectator, who is more controlled than the Jews, to judge if this is not one of the most beautiful paintings in the collection. However, I may tell you in passing that the artist perfectly rendered the various characters, including Pilate, who is just as he is in history.

Let us hurry, the Saviour is toiling towards Calvary. He is so weak that He has just collapsed under the weight of His heavy cross; He is pulled to His feet. He is lost, His eyes are veiled by a mist. However, He makes out the holy women who follow Him, keening and wailing; and like the good father who does not forget his little children even at the last moments of his life, seems to gather up the remainder of His failing voice to say: "Daughters of Jerusalem, weep not for me; but weep for yourselves and your children."

Simon of Cyrene is laden with the Saviour's cross, and already we are on Calvary, already the victim is dead; He has just expired, saying those terrible words: *It is finished.* The light is failing, the earth trembles and is covered in shadow, tombs break open, the shrouds of the dead dissolve and living corpses are thrown from their tombs. Thunder breaks and lightning flashes all round; the day star, shattered and confused, emits only a few pale and tarnished rays. It seems as if the world has

un bon père qui n'oublie pas ses tendres enfants jusqu'au dernier moment de sa vie il semble ramasser les restes de sa voix défaillante pour leur dire: Filles de Jérusalem, ne pleurez pas sur moi; mais pleurez sur vous-mêmes et sur vos enfants.

Simon le Cyrénéen s'est chargé de la croix du Sauveur, et déjà nous sommes sur le Calvaire, déjà la victime est immolée; elle vient d'expirer en prononçant ces tristes paroles: *tout est consommé.* La lumière s'éclipse, la terre s'ébranle et se couvre de ténèbres, les sépulcres se brisent, les liens de la mort se dissolvent et les cadavres sont précipités vivants des tombeaux; le tonnerre, les éclairs sillonnent de toutes parts, l'astre du jour ne jette plus sur la nature, bouleversée et confondue, que quelques rayons ternes et pâlissants. On dirait que la dernière destruction de l'univers est arrivée. Aussi les soldats qui tirent au sort la robe du Sauveur, à la vue des morts qui ressuscitent, la laissent échapper et saisissent leurs poignards pour se mettre en défense; la frayeur et l'égarement s'emparent de tous ceux qui se mêlent de l'exécution.

Cette femme gémissante au pied de la croix, le groupe des saintes femmes dont les visages sont obscurcis par les larmes, et parmi lesquelles se distingue la mère de Jésus parce que son cœur est percé d'un glaive de douleur; tous ces contrastes, toutes ces oppositions d'ombres et de lumières, tous ces épisodes, toute la richesse du coloris, toute l'harmonie si belle et si difficile à atteindre, à cause de la grande multiplicité des personnages, tout le mouvement, toute l'action répandue dans ce tableau, en font une scène lugubre et tragique.

Ce serait peut-être le plus beau tableau de toute la collection, s'il était possible de choisir. Mais essayez, vous allez d'un tableau à un autre, et vous dites: voici le plus beau, sans pouvoir jamais vous arrêter sur aucun. Voilà ce que j'appelle le triomphe du talent.

Sur le soir du même jour, Joseph D'Arimathie alla trouver Pilate pour avoir le corps du Sauveur: ce qu'il obtint. Il le descendit de la croix pour le mettre dans un sépulcre; il portait paisiblement le corps sacré, aidé de Nicodème et de St. Jean. Tout était silencieux comme à des funérailles nocturnes; le soleil ne jetait plus que quelques rayons

come to an end. The soldiers gambling for the Saviour's cloak, on seeing the dead come to life, drop it and seize their daggers in a panic of self-defense; terror and distraction take hold of all who participated in the execution.

This woman moaning at the foot of the cross, the group of holy women with faces hidden by tears, among them we see the Mother of Jesus, for her heart is pierced by a dagger of grief; all these contrasts, all these oppositions of light and shade, all these episodes, all the richness of colour, a harmony so beautiful and so difficult to obtain because of the great number of figures, all the movement and action spread across this painting create a dark and tragic scene.

This is perhaps the most beautiful painting in the entire collection, if it were possible to choose. But if you try, going from one painting to the other, telling yourself: here is the most beautiful! you will never be able to stop at one. That is what I call a triumph of talent.

The evening of the same day, Joseph of Arimathaea went to Pilate to ask for Christ's body, which he obtained. He took it from the cross to place in a tomb; he peacefully holds the holy body, helped by Nicodemus and St. John. Everything was silent, as at a night funeral; the sun only cast a few last, slanted rays. Further on Mary, overwhelmed with grief, fainting, agonizing, was held up by another woman. The beloved disciple, as he should, helps carry his dear Master; but because the Saviour said to him, while dying, "Here is your mother", he looks to the side to see that no terrible accident befalls her. The sky is pure and shows only a few clouds, faintly gilded by the last rays of the sun.

Consider the beautiful flesh tones of the Christ; how natural they are! How this flesh is truly dead! The colouring here is perhaps more rich, more brilliant, more supple than anywhere else, and shows that the artist can still pull unsuspected beauties from his brush. I have therefore finished my stations, but not without regret. If I had the time, I would return again, to discover new beauties and to tear from the artist the secrets of his grieving brush. It is impossible to see too much of this beautiful collection, as it is almost certain that a like occasion will not soon present itself.

obliques. Plus loin était Marie, accablée de douleur, défaillante, agonisante et soutenue par une autre femme. Le disciple bien aimé, comme il le devait, aide à porter son cher maître; mais parce que le Sauveur lui a dit en mourant: Voici votre mère, il porte ses regards de ce côté pour voir s'il ne se passera pas quelque tragique accident. Le ciel est pur et n'offre à l'horizon que quelques-uns de ces nuages légers dorés par les derniers rayons du jour.

Considérez ces belles carnations du Christ; comme elles sont près de la nature! comme cette chair est bien morte! Le coloris est peut-être ici plus riche, plus brillant, plus flexible, plus moëlleux que partout ailleurs, et fait voir que l'artiste peut encore trouver dans son pinceau des beautés inconnues. J'ai donc fini mes stations non sans regret. Si j'en avais le temps, j'y retournerais encore, pour y découvrir de nouvelles beautés, et pour arracher à l'artiste les secrets de son désolant pinceau. On ne peut trop voir et revoir cette belle collection, presque certain qu'une semblable occasion ne s'offrira pas de sitôt.

UN AMATEUR

NOTES

1. Durant les trois premières décennies du 19e siècle, la population montréalaise quadruple, passant de 7 500 à 31 783 habitants (Louis Rousseau, *La prédication à Montréal de 1800 à 1830: approche religiologique,* p. 73-74).

2. Au sujet de l'église Notre-Dame de Montréal, voir Olivier Maurault, *La Paroisse: histoire de l'église Notre-Dame de Montréal* et Franklin K.B.S. Toker, *L'église Notre-Dame de Montréal: son architecture, son passé.*

3. Voir Yves Lacasse, "La contribution du peintre américain James Bowman (1793-1842) au premier décor intérieur de l'église Notre-Dame de Montréal", *The Journal of Canadian Art History/Annales d'histoire de l'art canadien,* vol. VII, no. 1, 1983, p. 74-91.

4. Le lecteur peut toujours, en attendant une étude exhaustive sur Antoine Plamondon et son œuvre, se référer aux principaux écrits de Gérard Morisset sur le sujet (voir la bibliographie). Voir aussi *Deux peintres de Québec/Two Painters of Quebec: Antoine Plamondon (1802-1895). Théophile Hamel (1817-1870),* p. 13-33; cat. 1-41, et John R. Porter, *Antoine Plamondon: Sœur Saint-Alphonse/Sister Saint-Alphonse.*

5. *Le Canadien,* 10 juin 1836, p. 2.

6. *La Minerve,* 27 juin 1836, p. 3.

7. *Ibid.,* p. 2.

8. Voir *Le Canadien,* 10 octobre 1836, p. 2. Les portraits de *M. et Mme Louis-Joseph Papineau* sont reproduits dans *Deux peintres de Québec...,* p. 129 et 130.

9. Thomas B. Wragg possédait une manufacture de clous rue Saint-Paul à Montréal enregistrée sous la raison sociale de T.B. Wragg & Co. Il épousa Mary Ann Wilkins, dont le père Robert-Charles Wilkins était sociétaire de la firme Shuter & Wilkins (sise également rue Saint-Paul), en 1823 à Carrying Place dans la Baie de Quinte (Haut-Canada). Le couple résida à Belleville à partir de 1871. Décédés respectivement en 1876 et 1880, M. et Mme Wragg furent toutefois enterrés à Montréal. (Lettre de Anne Denoon, adjointe de l'archiviste au Musée des beaux-arts de l'Ontario, Toronto, adressée à Yves Lacasse le 26 mai 1983).

10. À ce sujet, voir Gérald Tulchinsky, "John Redpath", *Dictionnaire biographique du Canada,* volume IX (1861-1870), p. 721-723.

11. Au sujet du personnage et de sa contribution remarquable à la vie religieuse et culturelle montréalaise dans le deuxième quart du 19e siècle, voir Olivier Maurault, "M. Vincent Quiblier Prêtre de Saint-Sulpice", *Mémoires de la Société royale du Canada,* troisième série, tome XXVIII, section 1 (mai 1934), p. 139-148; repris dans Olivier Maurault, *"Nos Messieurs",* p. 101-121.

NOTES

1. During the first three decades of the nineteenth century, the Montreal population quadrupled, going from 7,500 to 31,783 inhabitants (Louis Rousseau, *La prédication à Montréal de 1800 à 1830: approche religiologique,* pp. 73-74).

2. For the Church of Notre-Dame de Montréal, see Olivier Maurault, *La Paroisse: histoire de l'église Notre-Dame de Montréal,* and Franklin Toker, *The Church of Notre-Dame in Montréal: An Architectural History.*

3. See Yves Lacasse, "La contribution du peintre américain James Bowman (1793-1842) au premier décor intérieur de l'église Notre-Dame de Montréal", *The Journal of Canadian Art History/Annales d'histoire de l'art canadien,* vol. VII, no. 1, 1983, pp. 74-91.

4. Until an exhaustive study of Antoine Plamondon and his work appears, the reader may always refer to the principal writings of Gérard Morisset on the subject (see Bibliography). See also *Deux peintres de Québec/Two Painters of Quebec: Antoine Plamondon (1802-1895). Théophile Hamel (1817-1870),* pp. 13-33; cat. 1-41, and John R. Porter, *Antoine Plamondon: Sœur Saint-Alphonse/Sister Saint-Alphonse.*

5. *Le Canadien,* June 10, 1836, p. 2.

6. *La Minerve,* June 27, 1836, p. 3.

7. Ibid., p. 2.

8. See *Le Canadien,* October 10, 1836, p. 2. The portraits of *Mr. and Mrs. Louis-Joseph Papineau* are reproduced in *Deux peintres de Québec...,* pp. 129-30.

9. Thomas B. Wragg owned a nail factory on St. Paul Street in Montreal, registered under the name T.B. Wragg & Co. He married Mary Ann Wilkins whose father, Robert-Charles Wilkins, was a member of the firm Shuter & Wilkins (main office also on St. Paul St.), in 1823 at Carrying Place in Baie de Quinte (Upper Canada). The couple lived in Belleville from 1871. They died in 1876 and 1880 respectively, and were both buried in Montreal. (Letter from Anne Denoon, Archival Assistant at the Art Gallery of Ontario, Toronto, to Yves Lacasse, May 26, 1983).

10. On this subject, see Gérald Tulchinsky, "John Redpath", *Dictionnaire biographique du Canada,* vol. IX (1861-1870), pp. 721-23.

11. On this person and his remarkable contributions to the cultural and religious life of Montreal in the second quarter of the nineteenth century, see Oliver Maurault, "M. Vincent Quiblier Prêtre de Saint-Sulpice", *Mémoires de la Société royale du Canada,* third series, vol. XXVIII, section 1 (May, 1934), pp. 139-48; reprinted in Oliver Maurault, *"Nos Messieurs",* pp. 101-21.

12. *Le Canadien,* 10 juin 1836, p. 2.

13. Selon le rédacteur du *Canadien* qui ne manquera d'ailleurs pas de souligner pareil désintéressement "qui est le trait caractéristique d'un vrai talent", Plamondon aurait accepté en 1836 de faire pour la somme de £14 chacune les quatorze stations du chemin de croix de l'église Notre-Dame de Montréal alors que, deux ans plus tôt, le peintre James Bowman aurait, pour le même travail, exigé au moins £20 (*Le Canadien,* 6 décembre 1839, p. 2). On soulignera de nouveau ce fait en 1841 afin de bien montrer que Plamondon, "(...) quelque soit le prix qu'on lui paie (pour son travail), n'en est pas plus avare de son temps (...)" (*Le Canadien,* 20 août 1841, p. 2).

14. *La Minerve,* 29 septembre 1836, p. 3.

15. *Le Canadien,* 10 octobre 1836, p. 2.

16. *Le Canadien,* 21 avril 1834, p. 2.

17. *Le Canadien,* 16 juillet 1838, p. 2.

18. On sait que Plamondon "(...) occupait le grenier de Mr Loranger au défaut de logement asser haut pour y mettre de grands tableaux (...)" (*QQAMHDQ,* Notes et mémoires des anciennes mères, Ar. 5, No. 11, p. 8).

19. *Le Canadien,* 2 juin 1841, p. 2.

20. Voir John R. Porter, *Joseph Légaré 1795-1855. L'œuvre,* p. 86, no. 67; ill. p. 89.

21. *L'Aurore des Canadas,* 24 août 1843, p. 2.

22. L'éclatant succès de Plamondon à Québec (voir *Le Canadien,* 30 avril 1838, p. 3) aura vite des échos dans la presse montréalaise (voir *L'Ami du Peuple,* 5 mai 1838, p. 3 et *Le Populaire,* 14 mai 1838, p. 3). La même année, Lord Durham achète le tableau de Plamondon (voir *QQAMUQ,* Lettre de l'Abbé L.-J. Desjardins à la R.M. St-Henry datée du 1er novembre 1838, citée dans *Trésors des communautés religieuses de la ville de Québec,* p. 94). François-Xavier Garneau s'inspirera même du tableau de Plamondon pour l'un de ses plus fameux poèmes: *Le dernier Huron* (reproduit en première page dans *Le Canadien* du 12 août 1840).

23. John R. Porter, *Antoine Plamondon...,* p. 8.

24. *Le Canadien,* 9 mai 1838, p. 3.
Voir également *QQANQ,* Greffe d'Antoine-Archange Parent, 28 mars 1834 (no 1140), Engagement de François Matte à Antoine Plamondon (document inédit communiqué par John R. Porter).

25. *Le Canadien,* 24 juin 1840, p. 2.

26. *QQANQ,* Greffe d'Antoine-Archange Parent, 5 juillet 1834 (no 435), Engagement de François Xavier (Théophile) Hamel à Antoine Plamondon. Le prénom de Théophile est ici biffé à différents endroits pour être remplacé par celui plus conforme de François Xavier. On sait que c'est sous ce dernier prénom que fut baptisé Théophile Hamel le 8 novembre 1817 (voir Raymond Vézina, *Théophile Hamel. Peintre national (1817-1870),* p. 31).

27. *QMAPND,* Boîte 30, Chemise 36, Lettre d'Antoine Plamondon à Joseph-Vincent Quiblier datée du 18 juin 1839. Reproduite intégralement à l'Appendice 1.

12. *Le Canadien,* June 10, 1836, p. 2.

13. According to the editor of *Le Canadien,* who did not, however, fail to note such disinterestedness, "which is the characteristic trait of a true talent", Plamondon accepted a sum of £14 each to do the 14 Stations of the Cross for the Church of Notre-Dame de Montréal, while, two years previously, James Bowman, for the same work, demanded £20 each. (*Le Canadien,* December 6, 1839, p. 2). This was noted again in 1841 in order to point out that Plamondon, "...whatever price he is paid (for his work), is not miserly with his time..." (*Le Canadien,* August 20, 1841, p. 2).

14. *La Minerve,* September 29, 1836, p. 3.

15. *Le Canadien,* October 10, 1836, p. 2.

16. *Le Canadien,* April 21, 1834, p. 2.

17. *Le Canadien,* July 16, 1838, p. 2.

18. We know that Plamondon "...occupied the attic of M. Loranger when he could find no other lodgings high enough to keep his large paintings..." (*QQAMHDQ,* Notes et mémoires des anciennes mères, Ar. 5, No. 11, p. 8).

19. *Le Canadien,* June 2, 1841, p. 2.

20. See John R. Porter, *The Works of Joseph Légaré 1795-1855,* Ottawa, the National Gallery of Canada, 1978, p. 86, no. 67; ill. p. 89.

21. *L'Aurore des Canadas,* August 24, 1843, p. 2.

22. Plamondon's striking success in Quebec City (see *Le Canadien,* April 30, 1838, p. 3) was quickly taken up by the Montreal press (see *L'Ami du Peuple,* May 5, 1838, p. 3 and *Le Populaire,* May 14, 1838, p. 3). The same year, Lord Durham bought a Plamondon painting (see *QQAMUQ,* Letter of the Abbot L.-J. Desjardins to the Rev. Mother St-Henry dated November 1, 1838, cited in *Trésors des communautés religieuses de la ville de Québec,* p. 94). François-Xavier Garneau used this painting by Plamondon as inspiration for one of his most famous poems, *Le dernier Huron* (reproduced on page one of *Le Canadien* of August 12, 1840).

23. John R. Porter, *Antoine Plamondon...,* p. 8.

24. *Le Canadien,* May 9, 1838, p. 3. See also *QQANQ,* Case of Antoine-Archange Parent, March 28, 1834 (no. 1140), Engagement of François Matte to Antoine Plamondon (unpublished document provided by John R. Porter).

25. *Le Canadien,* June 24, 1840, p. 2.

26. *QQANQ,* Case of Antoine-Archange Parent, July 5, 1834 (no. 435), Engagement of François Xavier (Théophile) Hamel to Antoine Plamondon. The given name Théophile has been struck out in several places to be replaced by François Xavier. We know that Théophile Hamel was actually baptized François Xavier on November 8, 1817 (see Raymond Vézina, *Théophile Hamel, Peintre national (1817-1870),* p. 31).

27. *QMAPND,* Box 30, File 36, Letter from Antoine Plamondon to Joseph-Vincent Quiblier, dated June 18, 1839. Reproduced in full in Appendix I.

28. *Le Canadien,* 27 novembre 1839, p. 2.

29. *The Quebec Mercury,* 5 décembre 1839, p. 1. Reproduit intégralement dans la version anglaise du présent catalogue à la place de l'article du *Canadien* du 27 novembre.

30. Détruit dans un incendie en 1854, le bâtiment a fait place à l'actuel Parc Montmorency (Luc Noppen, Claude Paulette et Michel Tremblay, *Québec trois siècles d'architecture,* p. 66-67).

31. *Le Canadien,* 4 décembre 1839, p. 2 (repris le 6 décembre 1839, p. 2) et *The Quebec Mercury,* 5 décembre 1839, p. 2.

32. *Le Canadien,* 11 décembre 1839, p. 2.

33. *Le Canadien,* 6 décembre 1839, p. 2.

34. Pour la période de 1817 à 1839, nous avons pu, à partir des journaux de l'époque, dénombrer pour la seule ville de Québec au moins une soixantaine d'expositions d'œuvres d'art. Ce bilan tient compte aussi bien de l'exposition d'un tableau dans un atelier que de manifestations de plus grande envergure comme les expositions tenues à la "Galerie de Peinture de Québec" ouverte en 1838 par le peintre Joseph Légaré et l'avocat Thomas Amiot.

35. Voir *QMAPND,* Boîte 30, Chemise 36, Lettre d'Antoine Plamondon à Joseph-Vincent Quiblier datée du 16 décembre 1839. Reproduite intégralement à l'Appendice 1.

36. *Idem.*

37. Igance Beaufays, *Le Chemin de la Croix,* p. 7.

38. H. Thurston, "Études historiques sur nos dévotions populaires: 1. Le Chemin de la Croix", traduction abrégée de l'anglais par A. Boudinhon, *Revue du Clergé Français,* septième année, tome XXVIII (sept.-oct.-nov. 1901), p. 460.

39. Émile Mâle, *L'art religieux de la fin du XVIe siècle, du XVIIe siècle et du XVIIIe siècle: étude sur l'iconographie après le Concile de Trente,* p. 493-495.

40. Bonaventure Brown, "Way of the Cross", *New Catholic Encyclopedia,* vol. XIV, p. 832-835.

41. Anonyme, *Instruction sur le Chemin de la Croix, avec les pratiques de cette dévotion...,* nouvelle édition, Lyon, Pélagaud et Lesne, 1839, p. 12 (La première édition de cet ouvrage remonterait à 1809 comme le laisse entendre l'approbation du vicaire général de Lyon datée de cette année).

42. *Idem.*

43. *Ibid.,* p. 37.

44. *Ibid.,* p. 29.

45. *Ibid.,* p. 36.

46. *Ibid.,* p. 37.

47. *Ibid.,* p. 31.

48. "Mandement de Monseigneur l'évêque de Québec sur son voyage d'Europe", 5 décembre 1822, dans *Mandements, Lettres Pastorales et Circulaires des Évêques de Québec,* volume troisième, p. 177.

28. *The Quebec Mercury,* December 5, 1839, p. 1.

29. *Le Canadien,* November 27, 1839, p. 2. Reproduced entirely in the French version of this catalogue, in place of the *Quebec Mercury* article of December 5.

30. Destroyed by fire in 1854, this building stood on the site of the present Montmorency Park (Luc Noppen, Claude Paulette and Michel Tremblay, *Québec trois siècles d'architecture,* pp. 66-67).

31. *Le Canadien,* December 4, 1839, p. 2 (reprinted December 6, 1839, p. 2), and *The Quebec Mercury,* December 5, 1839, p. 2.

32. *Le Canadien,* December 11, 1839, p. 2.

33. *Le Canadien,* December 6, 1839, p. 2.

34. For the period of 1817 to 1839, we were able, through newspapers of the period, to count no less than sixty art exhibitions for the city of Quebec alone. This total includes small exhibitions of a painting in a studio, as well as large events like the exhibitions held in the "Quebec City Painting Gallery", opened in 1838 by the artist Joseph Légaré and the lawyer Thomas Amiot.

35. See *QMAPND,* Box 30, File 36, Letter from Antoine Plamondon to Joseph-Vincent Quiblier dated December 16, 1839. Reproduced in full in Appendix I.

36. Idem.

37. Ignace Beaufays, *Le Chemin de la Croix,* p. 7.

38. H. Thurston, "Études historiques sur nos dévotions populaires: 1. Le Chemin de la Croix", abridged translation from English by A. Boudinhon, *Revue du Clergé Français,* seventh year, vol. XXVIII (Sept./Oct./Nov., 1901), p. 460.

39. Émile Mâle, *L'art religieux de la fin du XVIe siècle, du XVIIe siècle et du XVIIIe siècle: étude sur l'iconographie après le Concile de Trente,* pp. 493-95.

40. Bonaventure Brown, "Way of the Cross", *New Catholic Encyclopedia,* vol. XIV, pp. 832-35.

41. Anonymous, *Instruction sur le Chemin de la Croix, avec les pratiques de cette dévotion...,* new edition, Lyon, Pélagaud and Lesne, 1839, p. 12 (the first edition of this work goes back to 1809, judging by the approval of the Vicar-General of Lyon given that year).

42. Idem.

43. Ibid., p. 37.

44. Ibid., p. 29.

45. Ibid., p. 36

46. Ibid., p. 37.

47. Ibid., p. 31.

48. "Mandement de Monseigneur l'évêque de Québec sur son voyage d'Europe", December 5, 1822, in *Mandements, Lettres Pastorales et Circulaires des Évêques de Québec,* vol. three, p. 177.

49. *Idem.*

50. Les indulgences rattachées au chemin de croix sont "(...) si extraordinaires qu'elles surpassent de beaucoup toutes celles qui ont jamais été accordées à aucun exercice de piété." (Anonyme, *Instruction sur le Chemin de la Croix...*, p. 22). Incidemment, on rattache au chemin de croix les mêmes indulgences que celles accordées pour une visite des Lieux Saints à Jérusalem.

51. En vertu de "l'Indult du 23 janvier 1820", seul l'évêque à qui on en faisait la demande pouvait autoriser le prêtre à ériger un chemin de croix.

52. "Circulaire au clergé du diocèse de Montréal", 23 septembre 1841, dans *Mandements, Lettres Pastorales. Circulaires et autres documents publiés dans le diocèse de Montréal depuis son érection jusqu'à l'année 1869,* tome premier, p. 152.

53. Pour une conduite détaillée sur la "Manière d'ériger le Chemin de la Croix", voir Anonyme, *Instruction sur le Chemin de la Croix...*, p. 41-47. Retenons seulement que: "Le premier tableau, qui représente Notre-Seigneur condamné à mort, se place du côté de l'Évangile, avec les six suivants. Les sept autres se placent du côté de l'Épître de sorte qu'ils se trouvent, s'il est possible, vis-à-vis l'un de l'autre." (p. 46).

54. Tel était le cas pour plusieurs paroisses du diocèse de Québec, les moins fortunées sans doute, comme le laisse entendre la lettre d'Antoine Plamondon à Joseph-Vincent Quiblier datée du 16 décembre 1839 (*QMAPND*, Boîte 30, Chemise 36): "Il y a dans le districte de québec, plusieurs chemins de la croix établis avec 14 croix seulement, sans aucun tableaux quelconque."

55. Ainsi, en 1840, le libraire montréalais Édouard-Raymond Fabre offrait à la vente, en importation, des "Gravures du Chemin de la Croix" (voir l'annonce parue à cet effet dans *L'Aurore des Canadas,* 21 juillet 1840, p. 3). Ce furent sans doute de telles œuvres qu'acquit en 1842 la fabrique de la paroisse de la Visitation du Sault-au-Récollet lorsqu'elle fut autorisée à se procurer "un chemin de croix avec vitres et câdres" (*QSRAP*, Livre des délibérations, 1825-1878, 5 juin 1842, p. 51).

56. À titre d'exemple, à l'été 1840, le marchand montréalais J.D. Bernard recevait d'Europe une cargaison de marchandises des plus variées dont "Un grand CHEMIN DE CROIX peint sur toile et en couleur" (*L'Aurore des Canadas,* 21 juillet 1840, p. 3).

57. C'est ce que nous apprend la lettre d'Antoine Plamondon à Joseph-Vincent Quiblier datée du 16 décembre 1839 (*QMAPND*, Boîte 30, Chemise 36): "De très mauvais peintres, copiants, de très mauvaises gravures, ne pourront vous faires que de très mauvais tableaux du chemin de la croix, telle que les 4 que vous avais déjà faites Mr. Bowman."

58. Les encadrements qui avaient été prévus à l'origine pour les tableaux de Bowman serviront, en fait, pour le chemin de croix de Plamondon (voir *QMAPND*, Boîte 42, Chemise 9, Reçu de Monsieur Moses, 9 mars 1850).

59. *QMAPND*, Boîte 30, Chemise 36, Lettre d'Antoine Plamondon à Joseph-Vincent Quiblier datée du 16 décembre 1839.

60. Parmi les sources les plus connues de l'œuvre de Plamondon, citons des compositions de Léonard de Vinci, Raphaël, le Titien, Rubens, Poussin, Murillo et Prud'hon.

49. Idem.

50. The indulgences attached to the Way of the Cross are "...so extraordinary as to surpass by a great deal all those ever accorded to any single exercise of piety." (Anonymous, *Instruction sur le Chemin de la Croix...*, p. 22). The same indulgences were granted a practitioner of the Stations of the Cross as were accorded to a pilgrim to the Holy Sites of Jerusalem!

51. By virtue of the "Indult of January 23, 1820", only the Bishop, on demand, could authorize a priest to proceed with the erection of a Way of the Cross.

52. "Circulaire au clergé du diocèse de Montréal", September 23, 1841, in *Mandements, Lettres Pastorales, Circulaires et autres documents publiés dans le diocèse de Montréal depuis son érection jusqu'à l'année 1869,* vol. 1, p. 152.

53. For a detailed description on "The Way to Erect a Way of the Cross", see Anonymous, *Instruction sur le Chemin de la Croix...*, pp. 41-47. We note here only that, "The first painting, representing Our Lord condemned to death, is placed on the side of the Gospel, with the six following. The seven others are placed on the side of the Epistle, so that, as far as is possible, they face one another", p. 46.

54. This was the case for several parishes in the Quebec Diocese — no doubt the less fortunate — as Plamondon's December 16, 1839 letter to Joseph-Vincent Quiblier indicates (*QMAPND*, Box 30, File 36): "In the district of Quebec, there are several Ways of the Cross established with only 14 crosses, without any paintings whatsoever."

55. Thus, in 1840, the Édouard-Raymond Fabre bookshop in Montreal offered imported "Engravings of the Way of the Cross" for sale (see the advertisement in *L'Aurore des Canadas,* July 21, 1840, p. 3). Probably such works were acquired in 1842 by the Parish Corporation of Visitation du Sault-au-Récollet when it was authorized to find, "a Way of the Cross with glass and frames" (*QSRAP*, Livre des délibérations, 1825-1878, June 5, 1842, p. 51).

56. For example, in the summer of 1840, the Montreal dealer J.D. Bernard received from Europe a varied delivery of merchandise including, "A large WAY OF THE CROSS painted on canvas and in colour" (*L'Aurore des Canadas,* July 21, 1840, p. 3).

57. As we learn from Antoine Plamondon's December 16, 1839 letter to Joseph-Vincent Quiblier, cited above: "Very bad painters, copiers, of very bad engravings, cannot but make you very bad paintings of the Way of the Cross, such as the 4 Mr. Bowman already made you."

58. The frames originally intended for Bowman's paintings were finally used for Plamondon's (see *QMAPND*, Box 42, File 9, receipt from Mr. Moses, March 9, 1850.

59. *QMAPND*, Box 30, File 36, Letter from Plamondon to Quiblier dated December 16, 1839.

60. The sources most commonly used by Plamondon include compositions by Leonardo da Vinci, Raphael, Titien, Rubens, Poussin, Murillo and Prud'hon.

61. Voir la dernière partie consacrée aux œuvres.

62. *QMAPND*, Boîte 30, Chemise 36, Lettre d'Antoine Plamondon à Joseph-Vincent Quiblier datée du 16 décembre 1839.

63. Voir Albert Storme, *The Way of the Cross. A Historical Sketch*, p. 20.

64. *QMAPND*, Boîte 30, Chemise 36, Lettre d'Antoine Plamondon à Joseph-Vincent Quiblier datée du 16 décembre 1839. Il est intéressant de constater qu'un argument identique fut utilisé par Étienne Charpentier qui proposait récemment quatre chemins de croix différents selon chacun des récits évangéliques (Étienne Charpentier et Marc Joulin, *Cinq chemins de croix selon les Évangiles*, 1983, p. 14. Seuls les quatre premiers chemins de croix sont de Charpentier. À la suite du décès de l'auteur survenu avant la publication de cet ouvrage, Joulin jugea bon de compléter le travail de ce dernier en incluant un cinquième chemin de croix, cette fois-ci conforme aux quatorze stations traditionnelles).

65. Voir *QMAPND*, Boîte 30, Chemise 36, Lettre d'Antoine Plamondon à Joseph-Vincent Quiblier datée du 16 décembre 1839.

66. On peut facilement imaginer les problèmes qu'aurait soulevés le chemin de croix de Plamondon s'il avait été installé dans l'église Notre-Dame de Montréal, en se référant à un cas analogue survenu quelque temps plus tard. En 1850, l'église Saint-Jean-Baptiste de Québec est curieusement en possession d'un chemin de croix importé d'Europe "ne renfermant pas les mêmes sujets de la Passion que les collections ordinaires". De ce fait, "(...) il s'est trouvé que les Exercices pour le chemin de la Croix, imprimés dans nos livres de prières, ne correspondent pas avec les tableaux, et, conséquemment, force a été de s'en procurer d'autres" (*Le Journal de Québec*, 6 avril 1850, p. 2).

Bien qu'il n'y ait aucune prière prescrite ou obligatoire lors de l'exercice du chemin de croix, on aura tôt fait de diffuser des pratiques afin de favoriser chez les fidèles une "bonne méditation" où, à chacune des quatorze stations du chemin de croix, correspondait une courte réflexion. À titre d'exemple, la méthode à suivre pour l'exercice du chemin de croix publiée à Montréal chez Fabre en 1832 (Anonyme, *Dévotion aux Saints-Anges Gardiens, suivie d'une Méthode de faire le Chemin de la Croix avec les prières de la Messe et les Vêpres du Dimanche*, Montréal, E.R. Fabre & Cie, 1832) stipulait qu'à l'épisode de la rencontre de Véronique, on pouvait méditer à partir de cette réflexion (p. 71):

"Ô Jésus rempli de bonté, imprimez, je vous prie, dans mon âme la mémoire de vos très cuisantes douleurs, comme vous imprimâtes votre très sainte face sur le linge avec lequel vous essuya la Véronique."

Cette sixième station aurait correspondu dans le chemin de croix de Plamondon au tableau représentant *Le Christ à la colonne*. On comprend dès lors les réserves du supérieur des Sulpiciens face aux œuvres de Plamondon.

67. Voir *QMAPND*, Boîte 30, Chemise 36, Lettre d'Antoine Plamondon à Joseph-Vincent Quiblier datée du 16 décembre 1839.

68. *QMAPND*, Boîte 30, Chemise 36, Lettre d'Antoine Plamondon à Joseph-Vincent Quiblier datée du 1er mai 1841. Reproduite intégralement à l'Appendice 1.

69. Voir *QMAPND*, Livre des délibérations, 1845-1848, 14 juin 1847, p.26.

61. See the last section of this catalogue on the works.

62. *QMAPND*, Box 30, File 36, Letter from Plamondon to Quiblier dated December 16, 1839.

63. See Albert Storme, *The Way of the Cross. An Historical Sketch*, p. 20.

64. *QMAPND*, Box 30, File 36, Plamondon's December 16, 1839 letter to Quiblier. It is interesting to note that the identical argument was used by Étienne Charpentier, who recently proposed four different Ways of the Cross according to each of the four Evangelists (Étienne Charpentier and Marc Joulin, *Cinq chemins de croix selon les Évangiles*, 1983, p. 14. Only the first four Ways of the Cross are Charpentier's. After his death, Joulin, the surviving author, decided to complete Charpentier's work by adding a fifth Way of the Cross, conforming to the fourteen traditional Stations).

65. See *QMAPND*, Box 30, File 36, Plamondon's December 16, 1839 letter to Quiblier.

66. The problems Plamondon's Way of the Cross would have encountered if it had ever been installed in the Church of Notre-Dame de Montréal are easily imaginable because of an analogous situation which came up a short time later. In 1850, the Church of St-Jean-Baptiste of Quebec City somehow came into possession of a Way of the Cross imported from Europe, "which does not show the same subjects of the Passion as ordinary collections". From this fact, "...we find that the Exercises for the Way of the Cross as printed in our prayerbooks, do not correspond with these paintings, and consequently, others must be procured." (*Le Journal de Québec*, April 6, 1850, p. 2).

Although officially the faithful were not obliged to recite any particular prayers, nonetheless many such guides had been distributed, in order to induce "a good meditation". They contain a short reflection on each of the episodes of the Passion in the fourteen Stations. Thus, for example, a method for practicing the exercise of the Way of the Cross was published by Fabre in Montreal in 1832 (Anonymous, *Dévotion aux Saints-Anges Gardiens, suivie d'une Méthode de faire le Chemin de la Croix avec les prières de la Messe et les Vêpres du Dimanche*, Montreal, E.R. Fabre & Co., 1832). It stipulates that when the pilgrim arrives at the Meeting with St. Veronica, for example, he might meditate accordingly (p. 71):

"O Jesus, full of grace, implant in my soul, I pray you, the memory of your terrible agony, as You impressed your very holy Face on the linen with which Veronica wiped your Brow."

Since this sixth Station would, in Plamondon's version, have corresponded to the painting representing *Christ at the Column*, it is easy to understand why the Sulpicien Superior hesitated to accept it.

67. See *QMAPND*, Box 30, File 36, Plamondon's December 16, 1839 letter to Quiblier.

68. *QMAPND*, Box 30, File 36, Plamondon's May 1, 1841 letter to Quiblier. Reproduced in full in Appendix I.

69. See *QMAPND*, Livre des délibérations, 1845-1848, June 14, 1847, p. 26.

70. *QMAPND*, Box 30, File 36, Plamondon's May 1, 1841 letter to Quiblier.

70. *QMAPND,* Boîte 30, Chemise 36, Lettre d'Antoine Plamondon à Joseph-Vincent Quiblier datée du 1er mai 1841.

71. Pour les seules années 1841, 1842 et 1843, on lui connaît une vingtaine de portraits et une dizaine de tableaux religieux, dont certains de très grandes dimensions.

72. Situation pour le moins embarrassante pour l'église paroissiale de Montréal quand on sait qu'en 1843:

> "Le Chemin de la Croix est établi dans toutes les Eglises et chapelles de la Paroisse, excepté à la Paroisse, à Bonsecours, à la Congrégation des hommes et à celle des filles, à la chapelle du Cimetière, à celle du Fort de la Montagne et à la chapelle intérieure du Séminaire et à l'Eglise de l'Hôtel; c-à-d qu'il si trouve établi en treize lieux différens (…)"

(*QMACAM,* Dossier Notre-Dame et Saint-Sulpice, 1836-1843, Document 843-7: "Procès-Verbal de la Visite Épiscopale à Ville-Marie", 1843).

73. On sait que Thavenet jouissait de la confiance des Sulpiciens de Montréal puisqu'il avait également été consulté en 1823 quant au choix éventuel d'un architecte pour les plans de la nouvelle église Notre-Dame de Montréal (Olivier Maurault, *La Paroisse…*, p. 54).

74. *QMAPND,* Boîte 30, Chemise 35, Lettre de Giovanni Silvagni au Cardinal Orioli, Casa, le 20 avril 1843. On ne sait presque rien de cet élève de l'école italienne né à Rome en 1790 et mort en 1853. (Voir à ce sujet E. Bénézit, *Dictionnaire critique et documentaire des Peintres, Sculpteurs, Dessinateurs, et Graveurs de tous les temps et de tous les pays par un groupe d'écrivains spécialisés français et étrangers,* tome 9, p. 603).

75. *La Revue Canadienne,* 29 janvier 1847, p. 411.

76. *QMAPND,* Boîte 30, Chemise 34, Lettre de Joseph Vallée, marguillier de la fabrique de Notre-Dame, à l'évêque de Boston datée du 28 décembre 1846.

77. *QMAPND,* Livre des délibérations, 1845-1848, 24 mai 1847, p. 25.

78. *QMAPND,* Livre des délibérations, 1845-1848, 14 juin 1847, p. 26.

79. *Idem.*

80. *La Revue Canadienne,* 3 décembre 1847, p. 2.

81. *L'Aurore des Canadas,* 3 décembre 1847, p. 2.

82. Plus qu'une stricte critique sur la qualité plastique contestable des œuvres de Silvagni, on voit ici se manifester une forme d'encouragement visant à soutenir la production artistique nationale. Une telle attitude dut grandement plaire au peintre Antoine Plamondon qui d'ailleurs ne manquera pas d'en tirer gloire. Ainsi, lorsqu'en 1862 un "Amateur" conseillera aux fabriques de se rendre en Italie afin de se procurer de bons tableaux pour orner leurs églises, le peintre s'empresse de lui rétorquer (*Le Journal de Québec,* 2 août 1862, p. 2):

> "Nous sommes déjà allé à Rome et nous y avons acheté quatorze tableaux que l'on voit dans la grande église paroissiale de Montréal. Mais comme un peintre de race canadienne en a placé aussi quatorze de son pinceau à quelques arpents de là, dans l'église Saint-Patrice, le peuple s'étant avisé de faire des comparaisons, les pauvres peintures romaines ont pâli comme des tapis exposés au soleil."

71. For the years 1841, 1842 and 1843 alone he produced no less than twenty portraits and a dozen religious works, some very large.

72. An embarrassing situation, to say the least, for the parish church of Montreal when we realize that in 1843:

> "The Way of the Cross is established in all the Churches and chapels of the Parish, except at the Parish Church itself, at Bonsecours, at the Congregations of men and of girls, at the Cemetary Chapel, the Fort of the Mountain and the inner chapel of the Seminary and at the Church of the Hôtel; that is to say, it is established in thirteen different places…"

(*QMACAM,* Notre-Dame and St. Sulpice File, 1836-1843, Document 843-7: "Minutes of the Episcopal Visit to Ville-Marie", 1843).

73. We know that Thavenet enjoyed the confidence of the Sulpiciens, since he was also consulted in 1823 concerning the choice of a future architect for the plans of the new Church of Notre-Dame de Montreal (Olivier Maurault, *La Paroisse…*, p. 54).

74. *QMAPND,* Box 30, File 35, Letter from Giovanni Silvagni to Cardinal Orioli, Casa, April 20, 1843. We know very little about this artist of the Italian School born in Rome in 1790, where he died in 1853. (See E. Bénézit, *Dictionnaire critique et documentaire des Peintres, Sculpteurs, Dessinateurs, et Graveurs de tous les temps et de tous les pays par un groupe d'écrivains spécialisés français et étrangers,* vol. 9, p. 603).

75. *La Revue Canadienne,* January 29, 1847, p. 411.

76. *QMAPND,* Box 30, File 34, Letter from Joseph Vallée, Church Warden of the Corporation Notre-Dame, to the Bishop of Boston, dated December 28, 1846.

77. *QMAPND,* Livre des délibérations, 1845-1848, May 24, 1847, p. 25.

78. Ibid., June 14, 1847, p. 26.

79. Idem.

80. *La Revue Canadienne,* December 3, 1847, p. 2.

81. *L'Aurore des Canadas,* December 3, 1847, p. 2.

82. This is more than just a strong criticism of the doubtful artistic merit of Silvagni's works, and also constitutes an expression of encouragement to local artists. Such an attitude must have greatly pleased Plamondon, who did not miss the opportunity to reap some glory. Thus, when in 1862 an "Amateur" counseled the corporations to go to Italy in order to find quality paintings with which to ornament their churches, the artist quickly sent in a retort (*Le Journal de Québec,* August 2, 1862, p. 2):

> "We already went to Rome and bought fourteen paintings there which may be seen in the great Parish Church of Montreal. But a Canadian painter also placed fourteen works by his native brush a few blocks away in St. Patrick's Church, and people were asked to make comparisons; the poor Roman paintings paled in comparison like rugs left in the sun."

83. *QMAPND,* Livre des délibérations, 1857-1867, December 2, 1857, p. 34.

83. *QMAPND*, Livre des délibérations, 1857-1867, 2 décembre 1857, p. 34.

84. QMAPND, Livre des délibérations, 1857-1867, 16 décembre 1857, p. 36.

85. Olivier Maurault, *L'œuvre et fabrique de Notre-Dame de Montréal*, p. 44-46.

86. L'achat en France en 1872 par le curé Rousselot d'un nouveau chemin de croix pour Notre-Dame nous est confirmé par les Archives du Séminaire de Saint-Sulpice (*QMASSS,* le Séminaire de Montréal en compte avec le procureur du Séminaire de Paris, octobre 1863 à 1879, 18 février 1873 et mai 1873; communication de Nicole Cloutier). S'il n'en est aucunement fait mention dans les Archives de la paroisse de Notre-Dame entre 1870 et 1880, c'est sans doute que la facture fut acquittée en totalité par le curé Rousselot. Les tableaux n'étant pas signés, on en ignore toujours l'auteur.

L'information donnée par Olivier Maurault (Olivier Maurault, *La Paroisse...*, 1929, p. 163; reprise par Franklin Toker, *op. cit.,* p. 194-195 selon laquelle l'actuel chemin de croix aurait été commandé en 1876 à la Maison Champigneulle de Metz à Bar-le-Duc en France découle d'une évidente méprise. Si les Archives de Notre-Dame conservent effectivement une lettre de Ch. Champigneulle fils à R. Beullac, "Directeur de la Succursale de Montréal", datée du 21 juillet 1876, où il est écrit que: "Le Chemin de Croix sera très beau (...)" (*QMAPND,* Boîte 81, Chemise 34), une seconde lettre, cette fois-ci adressée à la fabrique de Notre-Dame par R. Beullac et datée du 18 novembre 1876, nous apprend que ce dernier a reçu "depuis le mois d'août dernier", de la Maison Champigneulle, "un chemin de croix en terre cuite, bas-reliefs destinés au cimetière de la côte des neiges" (*QMAPND,* Boîte 56, Chemise 11).

87. *QMAPSH,* Procès-verbal de l'érection du chemin de croix de l'église Saint-Henri par le curé Décarie, 8 novembre 1885, annexé au Livre des délibérations, 1873-1920 (entre les feuillets 88 et 89). Le curé Décarie fait suivre ce procès-verbal d'une notice qui se lit comme suit:
    "Ce chemin de Croix a été acheté de Mr Beaulac au prix de $700.00.
    C'est l'ancien Chemin de Croix de N.D. de Montréal — Ce chemin de Croix a été fait à Rome à l'ordre du Rev. M. Quiblier ptre S.S. et expédié à Montréal en 1848."
À la suite de la démolition de l'église Saint-Henri en 1968, on entreposa le chemin de croix dans le sous-sol de la cathédrale Marie-Reine-du-Monde où il est toujours conservé.

88. Voir Robert Lipscombe, *The Story of old St. Patrick's.*

89. *Le Journal de Québec,* 22 juin 1847, p. 2.

90. *Idem.*

91. *QMAPND,* Livre des délibérations, 1845-1848, 14 juin 1847, p. 26.

92. Les tableaux de Plamondon ne furent encadrés qu'à leur arrivée à l'église Saint-Patrick en 1847, comme nous l'apprend un reçu au montant de £ 1-4-0 signé par un certain Moses à l'intention de la fabrique de Notre-Dame. Moses s'était chargé de transporter "les Cadres du Chemin de la Croix (...) de la Sacristie à l'église St.Patrice" (*QMAPND,* Boîte 42, Chemise 9, Reçu de M. Moses, 9 mars 1850). Lorsque six de ces tableaux seront acquis en 1961 par le Musée des beaux-arts de Montréal, on réduira de moitié la largeur de leur encadrement.

84. Idem., December 16, 1857, p. 36.

85. Olivier Maurault, *L'œuvre et fabrique de Notre-Dame de Montréal,* pp. 44-46.

86. The Curate Rousselot's 1872 purchase in France of a new Way of the Cross for Notre-Dame is confirmed by the archives of the Sulpicien Seminary (*QMASSS,* The Montreal Seminary together with the Procurer of the Seminary of Paris, October, 1863 to 1879, February 18, 1873 and May, 1873; letter to Nicole Cloutier). No mention is made in the Archives of the Parish of Notre-Dame between 1870 and 1880, probably because the bill was paid in full by Rousselot. The paintings are not signed, and we still do not know the artist.

The information given by Olivier Maurault, (Olivier Maurault, *La Paroisse...,* 1929, p. 163; repeated by Franklin Toker op. cit., p. 92) according to whom the present Way of the Cross had been ordered in 1876 from the Maison Champigneulle de Metz in Bar-le-Duc, France, is evidently a misunderstanding. Although the Archives of Notre-Dame do in fact contain a letter from Ch. Champigneulle, son, to R. Beullac, "Directeur de la Succursale de Montréal", dated July 21, 1876, which says that, "The Way of the Cross will be very beautiful..." (*QMAPND,* Box 81, File 34), a second letter, this time addressed to the Corporation of Notre-Dame, from R. Beullac, dated November 18, 1876, tells us that the latter had received, "since last August", from the Maison Champigneulle, "a Way of the Cross in terracotta, bas-reliefs intended for the Côte des Neiges Cemetary" (*QMAPND,* Box 56, File 11).

87. *QMAPSH,* Minutes for the emplacement of a Way of the Cross in the Church of St-Henri by the Curate Décarie, November 8, 1885, appended to the Livre des délibérations, 1873-1920 (between sheets 88 and 89). Décarie followed these minutes with a notice reading as follows:
    "This Way of the Cross was purchased from Mr. Beaulac for $700.00.
    It is the old Way of the Cross of Notre-Dame de Montréal — this suite was made in Rome by order of Rev. Quiblier, ptre S.S. and sent to Montreal in 1848."

Following the demolition of the Church of St-Henri in 1968, the Way of the Cross suite was stored in the basement of the Cathedral of Mary Queen of the World, where it remains.

88. See Robert Lipscombe, *The Story of old St. Patrick's.*

89. *Le Journal de Québec,* June 22, 1847, p. 2.

90. Idem.

91. *QMAPND,* Livre des délibérations, 1845-1848, June 14, 1847, p. 26.

92. Plamondon's paintings were only framed after their arrival at St. Patrick's, as we know by a receipt for £1-4-0 signed by a certain Mr. Moses in 1847 to the Corporation of Notre-Dame, for having transported, "the Frames of the Way of the Cross... from the Sacristy to the Church of St. Patrick's" (*QMAPND,* Box 42, File 9, receipt from Mr. Moses, March 9, 1850). When six of these paintings were acquired by The Montreal Museum of Fine Arts in 1961, the width of the frames was reduced by half.

93. *QMACAM,* Notre-Dame and St. Sulpice File, 1850-1859, Document 852-2: Request from Rev. John Joseph Connolly to the Bishop of Montreal for permission to erect a Way of the Cross in St. Patrick's Church, February 5, 1852.

93. QMACAM, Dossier Notre-Dame et Saint-Sulpice, 1850-1859, Document 852-2: Supplique du Rév. John Joseph Connolly à l'évêque de Montréal afin d'obtenir la permission d'ériger le chemin de croix dans l'église Saint-Patrick, 5 février 1852.

94. Ce que viendrait confirmer en 1890 la requête du Rév. Patrick Dowd concernant la ré-érection du chemin de croix rendue nécessaire "(...) through the accidental loss of one of the fourteen crosses." (QMACAM, Dossier Saint-Patrick, 1877-1896, Document 890-1: Requête du Rév. Patrick Dowd concernant la ré-érection du chemin de croix de l'église Saint-Patrick, 21 février 1890).

95. La Minerve, 25 août 1857, p. 2.

96. Le Journal de l'Instruction publique, vol. 5, no. 6 (juin 1861), p. 108.

97. Voir La Minerve, 14 mai 1861, p. 1 et 18 mars 1862, p. 2.

98. Voir La Minerve, 31 août 1895, p. 4.

99. Olivier Maurault, Marges d'histoire, tome 2, p. 164. Il est à noter qu'Olivier Maurault n'avait jamais vu les tableaux de Plamondon puisqu'il ignorait à l'époque où ils se trouvaient (voir Olivier Maurault, La Paroisse..., 1929, p. 165, note 72).

100. L'histoire n'aura conservé que bien peu de choses de ce "célèbre artiste de Rome" (voir Anonyme, Le diocèse de Montréal à la fin du dix-neuvième siècle, p. 198) puisque son nom n'apparaît même pas dans le Bénézit.

101. Anonyme, Golden Jubilee of St. Patrick's Orphan Asylum, p. 115:
"The Pictures of the Way of The Cross are oil paintings, 6½ft. in height, by 3 feet 4 in. in width, and were executed by Patriglia, a distinguished Roman artist, under the direction of Father Leclair, fortunately again at St. Patrick's, and then rector of the Canadian College in the Eternal City."

102. Henri Gauthier, Sulpitiana, p. 226.
Seule une retouche considérable, dans l'optique de laquelle on aurait dû apposer de nouveau la signature de l'artiste au bas de la toile, expliquerait la raison pour laquelle on lit dans le coin inférieur droit de la dixième station le nom de "Ant. Petriglia" (au lieu de Patriglia). La date "1847" qui apparaît également devait sans doute à l'origine se lire "1897". (Ces renseignements colligés à la page 19 du dossier de l'église Saint-Patrick de l'IBC de Montréal ont pu être vérifiés sur place).

103. Olivier Maurault, La Paroisse..., 1929, p. 165, note 72.

104. QQIBC, Fonds Gérard Morisset, Dossier de l'Institution des Sourds-Muets de Montréal: Lettre de Florian V. Crête à Paul Rainville (directeur du Musée du Québec de 1941 à 1952) datée du 25 novembre 1947.

105. QQIBC, Fonds Gérard Morisset, Dossier Antoine Plamondon, p. 187: communication du père Michel Cadieux, supérieur de l'Institution des Sourds-Muets de Montréal, à Gérard Morisset, 13 mars 1935.

106. QMIBC, Dossier Les Clercs de St-Viateur: Institut des Sourds-Muets.

107. QMAMBAM, Lettre de Evan H. Turner à A. Sidney Dawes datée du 31 août 1961.

108. QMAMBAM, Procès-verbal du comité d'acquisition d'art canadien, 14 décembre 1961.

94. This was confirmed by the 1890 request of Rev. Patrick Dowd concerning the re-erection of the Way of the Cross, rendered necessary "...through the accidental loss of one of the fourteen crosses." (QMACAM, St. Patrick File, 1877-1896, Document 890-1: Request of the Rev. Patrick Dowd concerning the re-erection of the Way of the Cross for St. Patrick's Church, February 21, 1890).

95. La Minerve, August 25, 1857, p. 2.

96. Le Journal de l'Instruction publique, vol. 5, no. 6 (June, 1861), p. 108.

97. See La Minerve, May 14, 1861, p. 1 and March 18, 1862, p. 2.

98. See La Minerve, August 31, 1895, p. 4.

99. Olivier Maurault, Marges d'histoire, vol. 2, p. 164. It is worth noting that Olivier Maurault never saw Plamondon's suite because at that period he did not know where it was (see Olivier Maurault, La Paroisse..., 1929, p. 165, note 72).

100. Little has come down to us about this "famous Roman artist", as he was termed at the time (see Anonymous, Le diocèse de Montréal à la fin du dix-neuvième siècle, p. 198), and his name is not even listed in the Bénézit.

101. Anonymous, Golden Jubilee of St. Patrick's Orphan Asylum, p. 115:
"The Pictures of the Way of the Cross are oil paintings, 6½ ft. in height, by 3 feet 4 in. in width, and were executed by Patriglia, a distinguished Roman artist, under the direction of Father Leclair, fortunately again at St. Patrick's, and then rector of the Canadian College in the Eternal City."

102. Henri Gauthier, Sulpitiana, p. 226. Only a major restoration, in which the artist's signature was recopied in a corner of the painting, can explain why we see, in the lower righthand corner of the tenth Station, the name "Ant. Petriglia" (instead of Patriglia). The date "1847" in the same place, was probably originally "1897". (This information, appended to page 19 of the St. Patrick File of the IBC of Montreal, as verified in person).

103. Olivier Maurault, La Paroisse..., 1929, p. 165, note 72.

104. QQIBC, Fonds Gérard Morisset, File for the Institution des Sourds-Muets de Montréal: Letter from Florian V. Crête to Paul Rainville (Director of the Musée du Québec from 1941 to 1952), dated November 25, 1947.

105. QQIBC, Fonds Gérard Morisset, Antoine Plamondon File, p. 187: note from Father Michel Cadieux, Superior of the Institution des Sourds-Muets de Montréal to Gérard Morisset, March 13, 1935.

106. QMIBC, Clercs de St-Viateur File: Institut des Sourds-Muets.

107. QMAMMFA, Letter from Evan H. Turner to A. Sidney Dawes, dated August 31, 1961.

108. QMAMMFA, Minutes of the Meeting of the Committee for Acquisition of Canadian Art, December 14, 1961.

109. QQIBC, Fonds Gérard Morisset, Antoine Plamondon File (for Plamondon's works still at Neuville, see pp. 202-22). At the same period, Morisset published an article on the subject: "Plamondon à

109. *QQIBC,* Fonds Gérard Morisset, Dossier Antoine Plamondon (pour les œuvres de Plamondon conservées à Neuville,voir p. 202-222). Morisset publia à la même époque un article sur le sujet: "Plamondon à Neuville", *L'Almanach de l'Action Sociale Catholique,* vol. 19 (1935), p. 53-55 (repris dans *Peintres et tableaux,* vol. 2, p. 147-154).

110. Olivier Maurault, *La Paroisse: histoire de l'église Notre-Dame de Montréal,* 2e édition, Montréal, Thérien Frères Limitée, 1957, p. 85, note 72.

111. Franklin Toker, *op. cit.,* p. 194.

112. Alors que *Le Couronnement d'épines* et *Le Christ en croix* sont datés de 1881, *L'Agonie au jardin des Oliviers* et *La Mise au tombeau* portent la date de 1882. Ces quatre toiles sont d'ailleurs loin de posséder les qualités plastiques des œuvres de maturité de Plamondon (1835-1850).

113. Ce qui expliquerait que l'on n'en ait relevé aucune trace dans l'ensemble des dossiers d'inventaires (plus d'un millier en excluant le Fonds Gérard Morisset) conservés au deux Centres de documentation du ministère des Affaires culturelles du Québec (à Québec et à Montréal). Les inventaires en question concernent plusieurs centaines d'églises, bon nombre de communautés religieuses et plusieurs collections importantes réparties sur tout le territoire québécois. L'œuvre d'Antoine Plamondon comporte aujourd'hui quelque cinq cents œuvres, dont plus de la moitié est constituée de tableaux religieux, l'élaboration d'un catalogue raisonné ne nous aura pas non plus permis de repérer les œuvres en question.

114. Voir Anonyme, "Congress Hall, Montreal", *Construction,* décembre 1915, p. 503-507.

115. Nous devons exclure la possibilité que l'on ait donné avant les années 1930 les huit tableaux qui manquaient lors de la visite du supérieur de l'Institution des Sourds-Muets. On s'expliquerait alors très mal l'arbitraire dans le choix des sujets qui auraient été retenus lors de cette hypothétique première sélection (les première, troisième, quatrième, septième, neuvième, onzième, douzième et quatorzième stations du chemin de croix). Nous pensons d'ailleurs que si tel avait été le cas, le Rév. Gerald J. McShane — affecté à la cure de Saint-Patrick depuis 1907 — en aurait sûrement informé le père Michel Cadieux qui, à son tour, aurait transmis l'information à Gérard Morisset.

116. Voir la liste des expositions.

117. *Le Canadien,* 6 décembre 1839, p. 2. Reproduit intégralement à l'Appendice 2.

118. Il est possible que Plamondon ait directement été lié à la rédaction de ce compte rendu. Voir note 133.

119. Ne possédant aucune indication à ce sujet, le titre exact à donner à chacune des stations du chemin de croix posait un problème. C'est pourquoi nous avons systématiquement opté pour le titre original de la source ayant servi de modèle à Plamondon lorsque celle-ci nous était connue. Dans un tel cas, nous faisons usage de guillemets. Dans le cas contraire, le titre apparaît sans guillemets.

120. *Le Canadien,* 6 décembre 1839, p. 2.

121. Louis Réau, *Iconographie de l'art chrétien,* tome second: *Iconographie de la Bible,* II: *Nouveau Testament,* p. 428.

Neuville", *L'Almanach de l'Action Sociale Catholique,* vol. 19 (1935), pp. 53-55 (reprinted in *Peintres et tableaux,* vol. 2, pp. 147-54).

110. Olivier Maurault, *La Paroisse: histoire de l'église Notre-Dame de Montréal,* 2nd edition, Montreal, Thérien Frères Limited, 1957, p. 85, note 72.

111. Franklin Toker, op. cit., p. 194.

112. While *The Crown of Thorns* and *Christ on the Cross* are dated to 1881, *The Agony in the Garden of Olives* and *The Entombment* were painted in 1882. These late works by Plamondon are far from possessing the plastic qualities of the works of his mature period (1835-1850).

113. This explains why we found no trace of this in our systematic search of all the inventory files (more than a thousand, not counting the Fonds Gérard Morisset), of the two Centres of documentation of the Ministère des Affaires culturelles du Québec (in Montreal and Quebec City). The inventories in question concern several hundred churches, a good number of religious communities and several important collections scattered throughout the entire province. The collection of material for a catalogue raisonné of Antoine Plamondon's works presently includes around five hundred works, more than half of them religious paintings, but still did not enable us to find the works in question.

114. See Anonymous, "Congress Hall, Montreal," *Construction,* December, 1915, pp. 503-7.

115. We must exclude the possibility that the eight missing paintings were given away before the 1930s and the Superior of the Institution des Sourds-Muets' visit. In such a case, the arbitrariness in the choice of subjects made at the time of this hypothetical first selection (the first, third, fourth, seventh, ninth, eleventh, twelfth and fourteenth Stations) would be difficult to understand.
If all the paintings had been available, we think that the Reverend Gerald J. McShane — the curate of St. Patrick's since 1907 — would have mentioned it to Father Cadieux, who, in turn, would have told Gérard Morisset.

116. See the list of exhibitions.

117. *Le Canadien,* December 6, 1839, p. 2. Reproduced in its entirety in Appendix II.

118. It is possible that Plamondon was directly involved in the writing of this report. See note 132.

119. *Le Canadien,* December 6, 1839, p. 2.

120. Louis Réau, *Iconographie de l'art chrétien,* vol. 2: *Iconographie de la Bible,* II: *Nouveau Testament,* p. 428.

121. Pierre Rosenberg, "Six tableaux de Plamondon d'après Stella, Cigoli, Mignard et Jouvenet/The artists who influenced Plamondon", *M* (tri-annual magazine of The Montreal Museum of Fine Arts), vol. 2, no. 4 (March, 1971), pp. 10-13.

122. We learn in the *Testament* of Claudine Bouzonnet-Stella that the original suite was to contain 30 subjects engraved from missing paintings by Jacques Stella (J.J. Guiffrey, "Testament et inventaire des Biens, Tableaux, Dessins, Planches de Cuivre, Bijoux, etc. de Claudine Bouzonnet-Stella...", *Nouvelles Archives de l'Art Français,*

122. Pierre Rosenberg, "Six tableaux de Plamondon d'après Stella, Cigoli, Mignard et Jouvenet/The artists who influenced Plamondon", *M* (revue trimestrielle du Musée des beaux-arts de Montréal), vol. 2, no 4 (mars 1971), p. 10-13.

123. Comme nous l'apprend le *Testament* de Claudine Bouzonnet-Stella, la suite initiale devait contenir 30 sujets gravés à partir d'autant de tableaux de Jacques Stella aujourd'hui disparus (J.J. Guiffrey, "Testament et inventaire des Biens, Tableaux, Dessins, Planches de cuivre, Bijoux, etc. de Claudine Bouzonnet-Stella...", *Nouvelles Archives de l'Art Français*, 1877, p. 16 et 30). Des treize planches éditées auxquelles "(...) est toujours joint un Christ attaché à la colonne par un bourreau et dépouillé de son manteau" (Anatole de Montaiglon, "Lettre à Mr. Paul Chéron", *Curiosité Universelle*, tome IX (1859), p. 120), seules les dix premières seraient de Claudine Bouzonnet-Stella (1. *L'Entrée à Jérusalem*, 2. *La Cène*, 3. *Le Lavement des pieds*, 4. *Le jardin des Oliviers*, 5. *L'Arrestation de Notre-Seigneur*, 6. *Le Soufflet devant le grand-prêtre*, 7. *Le Reniement de S. Pierre*, 8. *Jésus devant Caiphe*, 9. *Jésus tourné en dérision par les gardes*, 10. *Jésus mené devant le prétoire*) alors que les trois dernières planches (11. *Jésus devant Pilate*, 12. *Jésus recouvert de la robe des fous*, 13. *Jésus devant Pilate*) auraient été gravées par son cousin Michel-François Demasso (ou De Masso) (1654 - après 1725), par Simon (1658-1738), le frère de ce dernier, ou par d'autres (Roger-Armand Weigert, *Bibliothèque Nationale. Département des Estampes. Inventaire du Fonds Français. Graveurs du XVIIe siècle*, tome II, Paris, Bibliothèque Nationale, 1951, p. 82, nos 15 à 25).

124. En parlant de la "belle suite de la Passion gravée par Claudine Bouzonnet-Stella", Anatole de Montaiglon notait en 1859:

"Comme les cuivres (...) existent encore à Paris, les étalagistes des quais ne se font pas faute d'en avoir toujours des épreuves (...) Rien n'est plus facile à se procurer, ni plus connu que cette suite, qui, dans les ateliers, est presque aussi fréquente que les Loges ou la Sixtine, et cet honneur, qu'elle doit à son intérêt de composition et à la grandeur de son sentiment, n'est pas immérité."

(Anatole de Montaiglon, *op. cit.*, p. 97).

125. En se basant uniquement sur le dépouillement de plusieurs journaux de l'époque, John R. Porter évalue à plus de 18 000 le nombre de gravures importées vendues à Québec entre 1816 et 1855, principalement des œuvres religieuses (John R. Porter, *Un peintre et collectionneur québécois engagé dans son milieu: Joseph Légaré (1795-1855)*, p. 382).

126. Ayant hérité des cuivres non terminés, des originaux et des cuivres finis de cette suite, Michel-François Demasso aurait édité la suite en substituant, dans un but purement commercial, au nom de Stella celui plus prestigieux de Poussin dont le nom apparaît sur la plupart des épreuves (voir Roger-Armand Weigert, *op. cit.*, p. 82, nos 15-25). Il faudra attendre la publication du *Testament* de Claudine Bouzonnet-Stella pour que la paternité de ces œuvres soit définitivement rendue à Jacques Stella (J.J. Guiffrey, *op. cit.*, p. 16 et 30).

127. En 1838, Antoine Plamondon offrait en vente quatre tableaux originaux qu'il avait rapportés d'Europe dont "(...) au premier rang un tableau de Poussin, représentant le martyre de St. Erasme." (*Le Fantasque*, 28 juillet 1838, p. 137).

128. Cette série n'ayant pu être terminée, Plamondon la complètera avec différentes autres sources peintes ou gravées. Pour s'en tenir à un déroulement plus serré du récit de la Passion, il verra du même coup

1877, pp. 16 and 30). Of the 13 edited plates, in which "...is included a Christ tied to the column by a torturer and stripped of his clothes" (Anatole de Montaiglon, "Lettre à Mr. Paul Chéron", *Curiosité Universelle*, vol. IX (1859), p. 120), only the first ten are by Claudine Bouzonnet-Stella (1. *The Entry into Jerusalem*, 2. *The Last Supper*, 3. *Christ Washing the Disciples' Feet*, 4. *The Garden of Olives*, 5. *The Arrest of Christ*, 6. *The Slap before the High Priest*, 7. *The Denial of St. Peter*, 8. *Jesus before Caiaphas*, 9. *Christ Mocked by the Guards*, 10. *Jesus Led before the Praetorium*),while the last three plates (11. *Jesus before Pilate*, 12. *Jesus Dressed in the Robe of Fools*, 13. *Jesus before Pilate*) were engraved by her cousin, Michel-François Demasso (or De Masso) (1654-after 1725), by Simon (1658-1738), the brother of the latter, or by others. (Roger-Armand Weigert, *Bibliothèque Nationale. Département des Estampes. Inventaire du Fonds Français. Graveurs du XVIIe siècle*, vol. II, Paris, Bibliothèque Nationale, 1951, p. 82, nos. 15 to 25).

123. Speaking of the "beautiful suite of the Passion engraved by Claudine Bouzonnet-Stella", Anatole de Montaiglon noted in 1859:

"As the copper plates... are still in Paris, the vendors along the quais always have fresh copies... Nothing is easier to get, nor better known than this suite, which, in the studios, is almost as common as the Loges by Raphael or the Sistine Chapel by Michelangelo, and this honour, which is due to the interesting composition and the breadth of feeling expressed, is not undeserved."

(Anatole de Montaiglon, op. cit., p.97).

124. Basing his opinion entirely on research among several newspapers of the period, John R. Porter estimates that more than 18,000 engravings were imported and sold in Quebec between 1816 and 1855, principally religious works (John R. Porter, *Un peintre et collectionneur québécois engagé dans son milieu: Joseph Légaré (1795-1855)*, p. 382).

125. Michel-François Demasso, having inherited the finished and unfinished plates of this suite, substituted, for purely lucrative reasons, Poussin's more prestigious name for Stella's, and it appears on most of the proofs (see Roger-Armand Weigert, op. cit., p. 82, nos. 15-25). It was not until the publication of Claudine Bouzonnet-Stella's *Testament* that the works were definitely reattributed to Jacques Stella (J.J. Guiffrey, op. cit., pp. 16 and 30).

126. In 1838, Antoine Plamondon put four original oil paintings he had brought back with him from Europe up for sale, including "...most importantly a painting by Poussin, representing the Martyrdom of St. Erasmus" (*Le Fantasque*, July 28, 1838, p. 137).

127. Since this series of engravings was unfinished, Plamondon had to complete his own suite with compositioins inspired by other engraved or painted works. At the same time, in order to keep to a closer depiction of the scriptures, he eliminated certain plates which he judged were not useful to a fourteen-part Way of the Cross suite.

128. Let us remember that in Jesus' case there were two trials: a Jewish (or religious) one, in which Jesus was condemned for blasphemy for saying he was the Messiah, the Son of God, and a Roman (or political) trial, in which he was condemned as an agitator, for declaring himself King of the Jews. The first trial includes the double appearance before Annas and Caiaphas, the second before Herod and Pilate. As Réau notes, "This double trial is explained by the political system in Judea, which had become a Roman province. The Roman Governor was the only official empowered to render final

à éliminer certaines planches jugées non pertinentes pour un chemin de croix en quatorze épisodes.

129. Rappelons ici qu'il y eut, dans le cas de Jésus, double procès: un procès juif (ou religieux) où le Christ fut condamné comme blasphémateur pour avoir dit qu'il était Messie, fils de Dieu, et le procès romain (ou politique) où il fut inculpé comme agitateur pour s'être déclaré roi des Juifs. Au premier procès correspond la double comparution devant Anne et Caïphe, au second celle devant Hérode et Pilate. Comme le note Réau: "Cette double procédure s'explique par le régime politique de la Judée qui était devenue une province romaine. Le gouverneur romain avait seul qualité pour juger en dernière instance une affaire de droit commun. L'arrêt de mort prononcé par le Sanhédrin (terme araméen désignant le tribunal religieux des Juifs) ne devenait exécutoire qu'après ratification du représentant officiel de Rome." (Louis Réau, *op. cit.,* p. 444). Sur la question, voir aussi Jean Imbert, *Le procès de Jésus.*

130. Louis Réau, *op. cit.,* p. 445.

131. Comme le note Henri Regnault: "(...) le procès véritable (de Jésus) se déroule devant Kaïapha; l'intervention d'Hanan n'est qu'un incident." (Henri Regnault, *Une province procuratorienne au début de l'Empire romain. Le procès de Jésus-Christ,* p. 96).

132. Ce que nous dégageons de la description qui nous est parvenue du tableau de Plamondon (*Le Canadien,* 6 décembre 1839, p. 2):

"Pendant que le Grand Prêtre se désole à interroger le Sauveur sans en pouvoir tirer de réponse, celui-ci demeure immobile et silencieux. Le tumulte des Juifs d'un côté, et la fureur qui s'excède inutilement de l'autre; l'étonnant mouvement du bras de celui qui frappe le Sauveur (...) le contraste frappant des ombres et des lumières (...) donnent à la scène beaucoup de relief et d'action."

133. *QMAPND,* Boîte 30, Chemise 36, Lettre d'Antoine Plamondon à Joseph-Vincent Quiblier datée du 16 décembre 1839.
Comme la même méprise apparaît dans le long compte rendu de l'exposition de la Chambre d'Assemblée publié dans *Le Canadien* du 6 décembre 1839 (voir Appendice 2), on pourrait croire que Plamondon ait été l'instigateur de cette prose des plus louangeuses.

134. Voir note 123.

135. *Le Canadien,* 6 décembre 1839, p. 2.

136. C'est avec l'intention de traiter Jésus comme un fou qu'on l'habilla d'une robe blanche: "La raillerie consistait (...) en ce qu'Hérode faisait vêtir Jésus comme un grand personnage, ou comme un prince qui serait allé à la tête d'une armée combattre pour son empire." (Joseph Heinrich Friedlieb, *Archéologie de la Passion de Notre-Seigneur Jésus-Christ...,* p. 139).

137. Cette hypothèse est avancée par Rosenberg (Pierre Rosenberg, *op. cit.,* p. 10) bien que Weigert se montre beaucoup plus prudent, en notant que la planche aurait tout aussi bien pu être gravée "par Michel de Masso, par le frère de ce dernier, également graveur (Simon), ou par d'autres" (Roger-Armand Weigert, *op. cit.,* p. 82, no 12).

138. *Le Canadien,* 6 décembre 1839, p. 2.

139. Matthieu 27, 26; Marc 15, 15; Luc 23, 16 et 22; Jean 19, 1.

140. Voir Émile Mâle, *op. cit.,* p. 263-265.

judgement in a case of common law. The condemnation to death pronounced by the Sanhedrin (an Aramaic term for the Jewish religious tribunal) could not be executed except through ratification by the official Roman representative." (Louis Réau, op. cit., p. 444). See also Jean Imbert, *Le procès de Jésus.*

129. Louis Réau, op. cit., p. 445.

130. As Henri Regnault notes: "...Jesus' true trial took place before Caiaphas; Hanan's (or Annas') intervention is only an incident." (Henri Regnault, *Une province procuratorienne au début de l'Empire romain. Le procès de Jésus-Christ,* p. 96).

131. This is what the description in the December 6, 1839 issue of *Le Canadien* (p. 2) leads us to believe:

"While the High Priest tries to interrogate the Saviour, without receiving an answer, Jesus remains silent and still. The tumult of the Jews on one side, the fury uselessly spent on the other, the astonishing movement of the arm of he who strikes Christ... The striking contrast between light and shade... gives this scene much relief and action."

132. *QMAPND,* Box 30, File 36, Antoine Plamondon's December 16, 1839 letter to Joseph-Vincent Quiblier. As the same mistake appears in the long account describing the exhibition at the Assembly Hall published in *Le Canadien* of December 6, 1839, it is not beyond the realms of possibility to believe that Plamondon was the instigator of that elegiac description (see Appendix II).

133. See note 122.

134. *Le Canadien,* December 6, 1839, p. 2.

135. Jesus was dressed in a white robe to imply he was a madman: "The joke consisted... in Herod's arraying Jesus as an important personage, a prince who leads his army into battle for his emperor." (Joseph Heinrich Friedlieb, *Archéologie de la Passion de Notre-Seigneur Jésus-Christ...,* p. 139).

136. Rosenberg advances this hypothesis (Pierre Rosenberg, op. cit., p. 10), although Weigert is more cautious, saying that the plate could also have been engraved, "by Michel de Masso, by his brother, Simon, also an engraver, or by others" (Roger-Armand Weigert, op. cit., p. 82, no. 12).

137. *Le Canadien,* December 6, 1839, p. 2.

138. Matthiew 27:26, Mark 15:15; Luke 23: 16 and 22; John 19:1.

139. See Émile Mâle, op. cit., pp. 263-65.

140. Here the question is whether Plamondon reversed the engraving by Claudine Bouzonnet-Stella, generally included in her Passion suite based on Jacques Stella's works (Anatole de Montaiglon, op. cit., p. 120), or whether he was directly inspired by Stella's painting, which we know from a preparatory drawing (reproduced in Pierre Rosenberg, op. cit., p.11, fig. 6).

141. See Sylvie Béguin and Francesco Valcanover, *Tout l'œuvre peint de Titien,* p. 115, no. 243.

142. An 1838 visitor noticed among the copies Plamondon had brought back from Europe and which he kept in his studio, "a vigorous and expressive Crown of Thorns", (*Le Fantasque,* July 28, 1838, p. 137),

141. Ici se pose la question de savoir si Plamondon a inversé la gravure de Claudine Bouzonnet-Stella généralement incluse dans sa suite de la Passion d'après Jacques Stella (Anatole de Montaiglon, *op. cit.,* p. 120) ou s'il ne s'est pas plutôt inspiré directement du tableau de Jacques Stella dont nous connaissons un dessin préparatoire (reproduit dans Pierre Rosenberg, *op. cit.,* p. 11, fig. 6).

142. Voir Sylvie Béguin et Francesco Valcanover, *Tout l'œuvre peint de Titien,* p. 115, no 243.

143. Parmi les copies rapportées par Plamondon de son séjour en Europe et conservées à son atelier, un visiteur en 1838 notait, entre autres, "un couronnement d'épines pour la vigueur et l'expression." (*Le Fantasque,* 28 juillet 1838, p. 137). Tout nous incite à croire qu'il s'agissait là d'une copie de l'œuvre du Titien conservée au Louvre où Plamondon copia également la *Femme au miroir,* autre œuvre du maître vénitien (Lettre de John Burrough à Amédée Papineau datée du mois d'août 1891, dans *QQIBC,* Fonds Gérard Morisset, Dossier Antoine Plamondon, p. 200).

144. *Le Canadien,* 6 décembre 1839, p. 2.

145. Selon le récit de Jean (19, 4-5) qui est le seul Évangéliste à relater l'épisode.

146. Curieusement, dans son long compte rendu publié dans *Le Canadien* du 6 décembre 1839, notre "Amateur" passe directement de la huitième à la dixième station du chemin de croix de Plamondon (voir Appendice 2).

147. Louis Réau, *op. cit.,* p. 463-469.

148. Voir *QMAPND,* Boîte 30, Chemise 36, Lettre d'Antoine Plamondon à Joseph-Vincent Quiblier datée du 16 décembre 1839.

149. Pierre Rosenberg, *op. cit.,* p. 11.

150. De la même façon, Plamondon avait diffusé la composition du *Baptême du Christ* de Pierre Mignard connue par la gravure de Gérard Audran (tableau de l'église des Écureuils (Portneuf) signé et daté de 1832).

151. *Le Canadien,* 6 décembre 1839, p. 2.

152. Reproduite dans Georges Wildenstein, "Les graveurs de Poussin au XVIIe siècle", *Gazette des Beaux-Arts,* tome XLVI, 97e année, 1040e-1043e livraisons (septembre à décembre 1955), p. 192, no 67. Il est à noter que *Le Calvaire* n'est pas inclus dans la suite de la Passion gravée par Claudine Bouzonnet-Stella.

153. Matthieu 27, 57-59; Marc 15, 42-46; Luc 23, 50-53 et Jean 19, 38-40.

154. Pierre Rosenberg, *op. cit.,* p. 11.

155. Alors que l'œuvre était toujours conservée à l'Institution des Sourds-Muets, Morisset prétendait en 1935 que le tableau de Plamondon découlait d'une toile de Jean-Baptiste Regnault (1754-1829) conservée au Louvre (*QQIBC,* Fonds Gérard Morisset, Dossier Antoine Plamondon, p. 188). Il devait rectifier sa méprise en écrivant au sujet d'une autre *Déposition de croix* de Plamondon — conservée à l'église du Cap-Santé et reprenant la même composition que le tableau du Musée des beaux-arts de Montréal (voir plus loin dans le texte) — qu'il s'agissait d'une copie de "l'admirable peinture de Jean Jouvenet à l'église Notre-Dame de Pontoise" (Gérard Morisset, *Le Cap-Santé, ses églises et son trésor,* p. 53).

which may indicate a copy of a work by Titien in the Louvre, where Plamondon also copied the *Woman with a Mirror,* another work by the Venetian master (Letter from John Burrough to Amédée Papineau dated August, 1891, in *QQIBC,* Fonds Gérard Morisset, Antoine Plamondon File, p. 200).

143. *Le Canadien,* December 6, 1839, p. 2.

144. According to John 19:4-5, the only Evangelist to mention the episode.

145. Curiously, in his long description published in *Le Canadien* of December 6, 1839, our "Amateur" goes directly from the eighth to the tenth Station of the Cross (see Appendix II).

146. Louis Réau, op. cit., pp. 463-69.

147. See *QMAPND,* Box 30, File 36, Plamondon's December 16, 1839 letter to Quiblier.

148. Pierre Rosenberg, op. cit., p. 11.

149. In the same way, Plamondon popularized Gérard Audran's engraving of Pierre Mignard's *Baptism of Christ* (see the painting for the Église des Écureuils, Portneuf, signed and dated 1832).

150. *Le Canadien,* December 6, 1839, p. 2.

151. Reproduced in Georges Wildenstein, "Les graveurs de Poussin au XVIIe siècle", *Gazette des Beaux-Arts,* vol. XLVI, 97th year, 1040th-1043rd deliveries (September to December, 1955), p. 192, no. 67. We should note that *Calvary* is not included in the Passion suite engraved by Claudine Bouzonnet-Stella.

152. Matthew 27:57-59; Mark 15:42-46; Luke 23:50-53; and John 19:38-40.

153. Pierre Rosenberg, op. cit., p. 11.

154. After having postulated, in 1935, when the painting was still at the Institution des Sourds-Muets, that Plamondon's work was based on a painting by Jean-Baptiste Regnault (1754-1829) from the Louvre (*QQIBC,* Fonds Gérard Morisset, Antoine Plamondon File, p. 188), Morisset tried to rectify his error by writing about another *Deposition from the Cross* by Plamondon — conserved in the Church of Cap-Santé and repeating the same composition as The Montreal Museum of Fine Arts' version (see below) — and stating that it was a copy of the "admirable painting by Jean Jouvenet at the Church of Notre-Dame de Pontoise" (Gérard Morisset, *Le Cap-Santé, ses églises et son trésor,* p. 53).

155. Loir's engraving is reproduced in Antoine Schnapper, *Jean Jouvenet (1644-1717) et la peinture d'histoire à Paris,* fig. 134.

156. John R. Porter and Jean Trudel, *The Calvary of Oka,* p. 88. Reproduction of Jouvenet's painting on p. 91, fig. 97.

157. Ibid., p. 91.

158. Ibid., p. 92.

159. The Calvary of the Lake of Two Mountains, erected in the middle of the eighteenth century, was composed of four oratories and three chapels in which seven large paintings (later replaced by reliefs) were placed, each showing an episode from the Passion of Christ: *The Agony in the Garden of Olives, The Flagellation, Ecce Homo, The*

156. La gravure de Loir est reproduite dans Antoine Schnapper, *Jean Jouvenet (1644-1717) et la peinture d'histoire à Paris*, fig. 134.

157. John R. Porter et Jean Trudel, *Le Calvaire d'Oka*, p. 88. Reproduction du tableau de Jouvenet à la page 91, fig. 97.

158. *Ibid.*, p. 91.

159. *Ibid.*, p. 92.

160. Le Calvaire du lac des Deux-Montagnes, érigé au milieu du 18e siècle, comprenait quatre oratoires et trois chapelles à l'intérieur desquels étaient placés sept grands tableaux (plus tard remplacés par des reliefs) rappelant chacun un épisode de la Passion du Christ: *L'Agonie au jardin des Oliviers, La Flagellation, L'Ecce Homo, La rencontre de sainte Véronique, Le Crucifiement, La Crucifixion* et *La Déposition de croix*. Ce calvaire ne saurait être dissocié d'une pratique religieuse comme celle du chemin de croix. (*Ibid.*, p. 35-39).

161. *Ibid.*, p. 84 et 86.

162. Acquise en 1812 par la fabrique de Saint-Martin de l'île Jésus (J.-Ad. Froment, *Histoire de Saint-Martin...*, p. 26), la *Déposition de croix* de Louis Dulongpré, après avoir échappé à l'incendie de 1942, se retrouva au Musée du Québec en 1966. L'œuvre est présentement roulée en attendant de pouvoir être restaurée. Il nous est donc actuellement impossible de la voir. Heureusement, Gérard Morisset nous apprenait en 1942, en parlant d'une série de quatre copies peintes par Dulongpré pour l'église Saint-Martin, que: "La plus belle est sans contredit la *Descente de croix* d'après Jean Jouvenet, dont l'original (...) se trouve à Notre-Dame de Pontoise (...)" (Gérard Morisset, "Saint-Martin (île Jésus) après le sinistre 19 du mai (sic)", *Technique,* vol. 17, no 9, novembre 1942 , p. 604). On peut affirmer avec certitude qu'il s'agit de la copie du tableau d'Oka puisque le 28 août 1811, l'abbé Louis-Joseph Desjardins écrivait au Sulpicien Candide — Michel Le Saulnier: "Je suis fort aise de l'entreprise de Mr Dulongpré, il ne peut que gagner doublement à copier vos beaux tableaux du lac (...)" (Lettre reproduite dans Porter et Trudel, *op. cit.,* p. 92).

163. *Le Canadien,* 6 décembre 1839, p. 2.

164. Voir Sylvie Béguin et Francesco Valcanover, *op. cit.,* p. 105, no. 127.

165. *Le Canadien,* 27 novembre 1839, p. 2.

166. *Le Journal de Québec,* 16 mai 1843, p. 1.

167. Sur les 176 tableaux religieux de Plamondon pour lesquels nous possédons des fiches techniques précises, 124 sont signés, bien qu'en général il ne s'agisse pas de compositions originales de l'artiste.

168. Pierre Rosenberg, *op. cit.,* p. 11.

169. *Deux peintres de Québec/Two Painters of Quebec: Antoine Plamondon (1802-1895). Théophile Hamel (1817-1870),* catalogue de R.H. Hubbard, Ottawa, Galerie nationale du Canada, 1970.

170. Paul Dumas, "Antoine Plamondon (1802-1895) et Théophile Hamel (1817-1870)", *L'information médicale et paramédicale,* 15 décembre 1970, p. 20.

171. *Idem.*

Meeting with Saint Veronica, The Crucifixion and *The Descent from the Cross.* This Calvary may not be dissociated from later religious practices like that of the Way of the Cross (Ibid., pp. 35-39).

160. Ibid., pp. 84 and 86.

161. Acquired in 1812 by the Corporation of St-Martin de l'Île Jésus (J.-Ad. Froment, *Histoire de Saint-Martin...,* p. 26), Louis Dulongpré's *Descent from the Cross,* after having escaped the fire of 1942, came to the Musée du Québec in 1966. It is now rolled up awaiting restoration, and therefore it was impossible for us to see it. Fortunately, in 1942 Gérard Morisset tells us, while discussing a series of four copies painted by Dulongpré for the Church of St-Martin, that, "Without a doubt, the most beautiful is the *Descent from the Cross* copied from Jean Jouvenet's original work..., which is at Notre-Dame de Pontoise..." (Gérard Morisset, "Saint-Martin (île Jésus) après le sinistre 19 du mai (sic)", *Technique,* vol. 17, no. 9, November, 1942, p. 604). We may be certain that this is the copy of the Oka painting because on August 28, 1811, the Abbot Louis-Joseph Desjardins wrote to the Sulpicien Candide-Michel Le Saulnier, "I am very happy about the undertaking by M. Dulongpré; he can only benefit doubly from copying your beautiful pictures at the lake..." (Letter reproduced in Porter and Trudel, op. cit., p. 92).

162. *The Quebec Mercury,* December 6, 1839, p. 1.

163. See Sylvie Béguin and Francesco Valcanover, op. cit., p. 105, no. 127.

164. *The Quebec Mercury, December 5, 1839, p. 1.*

165. *Le Journal de Québec,* May 16, 1843, p. 1.

166. Of the 176 religious works by Plamondon on which we have such information, 124 are signed, even though in general the compositions are not original.

167. Pierre Rosenberg, op. cit., p. 11.

168. *Deux peintres de Québec/Two Painters of Quebec: Antoine Plamondon (1802-1895). Théophile Hamel (1817-1870),* catalogue by R. H. Hubbard, Ottawa, National Gallery of Canada, 1970.

169. Paul Dumas, "Antoine Plamondon (1802-1895) et Théophile Hamel (1817-1870)", *L'information médicale et paramédicale,* December 15, 1970, p. 20.

170. Idem.

171. Gérard Morisset, "...Un grand portraitiste: Antoine Plamondon", *Concorde,* vol. II, nos 5-6 (May-June, 1960), p. 14.

172. At the present stage of research, a catalogue of Plamondon's works would include 257 religious paintings, 175 portraits, 16 genre scenes, 10 still-lifes and 8 landscapes.

173. See *Le Canadien* of June 2, 1851, p. 3, and of January 14, 1852, p. 2, as well as *Le Courrier du Canada* of March 21, 1860, p. 3 and *Le Journal de Québec* of December 16, 1874, p. 2.

174. *The Quebec Mercury,* July 27, 1833, p. 3.

175. *Le Canadien,* August 7, 1833, p. 1.

176. Plamondon himself stated in 1862 that, unlike the bourgeoisie, the poor churches "...cannot pay for the paintings they have made — either copies or new works — except at journeyman's wages" (*Le Journal de Québec,* August 2, 1862, p. 2).

172. Gérard Morisset, "... Un grand portraitiste: Antoine Plamondon", *Concorde,* vol. II, nos 5-6 (mai-juin 1960), p. 14.

173. Selon l'ensemble des données compilées à ce jour, le catalogue des œuvres de Plamondon comprendrait 257 tableaux religieux, 175 portraits, 16 scènes de genre, 10 natures mortes et 8 paysages.

174. Voir *Le Canadien* du 2 juin 1851 (p. 3) et du 14 janvier 1852 (p. 2), ainsi que *Le Courrier du Canada* du 21 mars 1860 (p. 3) et *Le Journal de Québec* du 16 décembre 1874 (p. 2).

175. *The Quebec Mercury,* 27 juillet 1833, p. 3.

176. *Le Canadien,* 7 août 1833, p. 1.

177. Plamondon lui-même affirme en 1862 que, contrairement aux bourgeois "qui roulent carosse", les églises, trop pauvres, "(...) ne peuvent payer les tableaux qu'elles font faire — copies ou compositions — que sur le prix de la journée d'un manœuvrier" (*Le Journal de Québec,* 2 août 1862, p. 2).

178. Dans le sillage des écrits de Gérard Morisset, voir John Russell Harper, *La Peinture au Canada des origines à nos jours,* p. 82-90; *Deux peintres de Québec...* (introduction de R.H. Hubbard), p. 15-35; Dennis Reid, *A Concise History of Canadian Painting,* p. 49-50; Barry Lord, *The History of Painting in Canada: Toward a people's art,* p. 35-37; Guy Robert, *La Peinture au Québec depuis ses origines,* p. 26-27.

179. Il en est ainsi de *Sainte Lucie* à Sainte-Luce (Rimouski) datée de 1842 (*Le Journal de Québec,* 16 mai 1843, p. 1; repris dans *Le Canadien,* 24 mai 1843, p. 3 et dans *Les Mélanges religieux,* 30 mai 1843, p. 133), de *Sainte Philomène* à Saint-André-de-Kamouraska, de 1843 (*L'Aurore des Canadas,* 24 août 1843, p. 2 et *Le Journal de Québec,* 27 septembre 1843, p. 2; repris dans *Les Mélanges religieux,* 3 octobre 1843, p. 4) et de *Saint Raphaël* de la paroisse Saint-Raphaël-Archange-de-l'Île-Bizard, de 1847 (*Le Journal de Québec,* 14 octobre 1847, p. 2 et 16 novembre 1847, p. 2; repris dans *Les Mélanges religieux* du 19 novembre 1847, p. 77; *Le Canadien,* 15 octobre 1847, p. 2 et 19 novembre 1847, p. 2; *La Minerve,* 18 octobre 1847, p. 2 et *L'Aurore des Canadas,* 23 novembre 1847, p. 2).

180. Voir *Fantin-Latour,* p. 145-146.

181. John R. Porter, *Un peintre et collectionneur québécois...,* p. 45 et 386.

182. *QMAPND,* Boîte 30, Chemise 36, Lettre d'Antoine Plamondon à Joseph-Vincent Quiblier datée du 16 décembre 1839.

183. Il est intéressant de noter que deux des trois compositions religieuses originales connues de Plamondon (voir note 179) furent achetées par de riches particuliers. Ainsi, *Sainte Lucie* fut donnée en 1843 à la paroisse de Sainte-Luce par "Mme Luce Gertrude Drapeau, veuve de Ths Cazeault, seigneuresse de Ste-Luce" (*QSLAP,* Livre des délibérations, 1836-1914, 7 juillet 1843, p. 149, dans *QQIBC,* Dossier Église Sainte-Luce (Rimouski), p. 93) et *Saint Raphaël* fut offert en 1847 par Denis-Benjamin Viger "à ses censitaires de l'île Bizarre" (*Le Canadien,* 15 octobre 1847, p. 2).

184. À titre d'exemple, on sait qu'en 1845 Plamondon s'est vu refuser par la fabrique de la paroisse de Chambly un tableau de *Saint Jean-Baptiste* parce qu'il n'était "(...) nullement ressemblant au modèle qui lui avait été remis (...)" (*QCAP,* Livre des délibérations, 29 juin 1845, dans *QQIBC,* Fonds Gérard Morisset, Dossier Église de Chambly).

177. In the wake of Gérard Morisset's writings, see John Russell Harper, *Painting in Canada,* pp. 82-90; *Deux peintres de Québec...,* introduction by R.H. Hubbard, pp. 15-35; Dennis Reid, *A Concise History of Canadian Painting,* pp. 49-50; Barry Lord, *The History of Painting in Canada: Toward a people's art,* pp. 35-37; Guy Robert, *La Peinture au Québec depuis ses origines,* pp. 26-27.

178. This is true of *St. Lucie* at Ste-Luce, Rimouski, dated 1842 (*Le Journal de Québec,* May 16, 1843, p. 1; reprinted in *Le Canadien,* May 24, 1843, p. 3, and in *Les Mélanges religieux,* May 30, 1843, p. 133), of *St. Philomène* at St-André-de-Kamouraska, of 1843 (*L'Aurore des Canadas,* August 24, 1843, p. 2 and *Le Journal de Québec,* September 27, 1843, p. 2; reprinted in *Les Mélanges religieux,* October 3, 1843, p. 4) and *St. Raphael* of the Parish of St-Raphaël-Archange-de-l'Île-Bizard of 1847 (*Le Journal de Québec,* October 14, 1847, p. 2 and November 16, 1847, p. 2; reprinted in *Les Mélanges religieux* of November 19, 1847, p. 77; *Le Canadien,* October 15, 1847, p. 2 and November 19, 1847, p. 2; *La Minerve,* October 18, 1847, p. 2 and *L'Aurore des Canadas,* November 23, 1847, p. 2).

179. See *Fantin-Latour,* pp. 145-46.

180. John R. Porter, *Un peintre et collectionneur québécois...,* pp. 45 and 386.

181. *QMAPND,* Box 30, File 36, Plamondon's December 16, 1839 letter to Quiblier.

182. It is interesting to note that two of the three known original religious compositions by Plamondon (see note 178) were purchased by wealthy private collectors. Thus, *St. Lucie* was donated to the Parish of Ste-Luce in 1843 by "Mme Luce Gertrude Drapeau, widow of Ths Cazeault, seigneuresse of Ste-Luce" (*QSLAP,* Livre des délibérations, 1836-1914, July 7, 1843, p. 149, in *QQIBC,* Église Ste-Luce (Rimouski) File, p. 93) and *St. Raphael* was donated to "the tax-payers of Ile Bizarre" in 1847 by Denis-Benjamin Viger (*Le Canadien,* October 15, 1847, p. 2).

183. For example, we know that in 1845 Plamondon had a painting of *St. John the Baptist* refused by the Corporation of the Parish of Chambly, on the grounds that it, "...in no way resembles the model he was given..." (*QCAP,* Livre des délibérations, June 29, 1845 in *QQIBC,* Fonds Gérard Morisset, Église de Chambly File).

184. *La Revue Canadienne,* January 29, 1847, p. 411.

185. Other than Silvagni's Way of the Cross which was installed in the Church of Notre-Dame de Montréal in 1847, we should cite the "magnificent Way of the Cross" donated to the Church of St-Jacques de Montréal in 1857, "the paintings, in oil, which were imported from France" (*La Minerve,* August 25, 1857, p. 2).

186. See *Le Journal de Québec,* April 16, 1850, p. 1.

187. At the beginning of the twentieth century, the importation of Ways of the Cross suites was still common; examples are the suites signed by Uberti-Paris in the churches of Coaticook (dated 1917) and of Ste-Gertrude (Nicolet), as well as at the Cathedral of St-Hyacinthe.

188. The suite of the Augustinian Monastery at Chicoutimi and of the church of St. Patrick, Rivière-du-Loup (1903).

Note: the list of Ways of the Cross given here for each of the artists cited in the text (notes 188 to 200) is only an indication, and has no claim to be definitive.

189. See *Dessins inédits d'Ozias Leduc,* pp. 149-53.

185. *La Revue Canadienne,* 29 janvier 1847, p. 411.

186. Outre le chemin de croix de Silvagni installé dans l'église Notre-Dame de Montréal en 1847, citons à titre d'exemple le "magnifique Chemin de croix" offert à l'église Saint-Jacques de Montréal en 1857 dont "les tableaux sont peints à l'huile et ont été importés de France" (*La Minerve,* 25 août 1857, p. 2).

187. Voir *Le Journal de Québec,* 16 avril 1850, p. 1.

188. Au début du 20e siècle, les importations de chemins de croix sont encore pratique courante comme en témoignent, entre autres, les chemins de croix signés Uberti-Paris accrochés dans les églises de Coaticook (daté de 1917) et de Sainte-Gertrude (Nicolet) , de même qu'à la cathédrale de Saint-Hyacinthe.

189. Ensembles du monastère des Augustines de Chicoutimi et de l'église Saint-Patrice (Rivière-du-Loup) (1903).

    Note: La liste des chemins de croix répertoriés pour chacun des artistes cités dans le texte n'est donnée ici (notes 189 à 201) qu'à titre indicatif; elle n'est nullement exhaustive.

190. Voir *Dessins inédits d'Ozias Leduc,* p. 149-153.

191. Ensembles de l'église Notre-Dame-du-Portage (Rivière-du-Loup) (1906) et de l'ancienne chapelle de la Congrégation Notre-Dame à Montréal (1918).

192. Ensemble de l'église d'East-Angus (Compton) (vers 1923-24).

193. Ensemble de l'église Saint-Michel de Rougemont (Rouville) (1932).

194. Selon Léopold Désy, Lauréat Vallière aurait sculpté une douzaine de chemins de croix (communication verbale de Léopold Désy à Yves Lacasse, 2 mars 1983).

195. Voir Angéline Saint-Pierre, *L'œuvre de Médard Bourgault,* (1976), p. 49-70.

196. Ensemble de l'église Notre-Dame-de-Lourdes à Montréal (1955).

197. Ensemble de la basilique Sainte-Anne-de-Beaupré (1954-1955). Ce chemin de croix fut conçu par Émile Brunet et réalisé par Maurice Lord.

198. Ensemble de l'église Marie-Reine-de-la-Paix à Roxboro, réalisé en collaboration avec Jacques Bédard (1963).

199. Ensemble du Noviciat des Clercs de Saint-Viateur à Joliette (vers 1944).

200. Ensembles de l'église Saint-Nicolas à Montréal (1952) et de l'Oratoire Saint-Joseph. Situé à l'extérieur, ce dernier chemin de croix fut sculpté par Ercolo Barbieri, de 1956 à 1962, sur des modèles de plâtre façonnés par Louis Parent.

201. Ensembles de l'église Saint-François-d'Assise (1966) et Saint-Jean-Vianney à Montréal.

202. Gérard Morisset, "La passion du Christ dans l'art canadien", *La Patrie (Journal du dimanche),* 26 mars 1950.

190. The suites of the Church of Notre-Dame-du-Portage, Rivière-du-Loup (1906) and of the old chapel of the Congrégation Notre-Dame in Montreal (1918).

191. Suite of the Church of East Angus, Compton (around 1923-24).

192. Suite of the Church of St-Michel de Rougemont, Rouville, (1932).

193. According to Léopold Désy, Lauréat Vallière sculpted a dozen Ways of the Cross (discussion between Léopold Désy and Yves Lacasse, March 2, 1983).

194. See Angéline Saint-Pierre, *L'œuvre de Médard Bourgault,* (1976) pp. 49-70.

195. Suite of the Church of Notre-Dame-de-Lourdes at Montreal, (1955).

196. Suite of the Basilica of Ste-Anne-de-Beaupré (1954-55). This Way of the Cross was conceived by Émile Brunet and realized by Maurice Lord.

197. Suite of the Church Marie-Reine-de-la-Paix at Roxboro, produced in collaboration with Jacques Bédard, (1963).

198. Suite of the Noviciat des Clercs de Saint-Viateur at Joliette, (around 1944).

199. Suites of the Church of St-Nicolas in Montreal (1952) and the St-Joseph Oratory. Situated outside, this last Way of the Cross was sculpted by Ercolo Barbieri between 1956 and 1962 from plaster models by Louis Parent.

200. Suites of the Church of St-François-d'Assise (1966) and St-Jean-Vianney at Montreal.

201. Gérard Morisset, "La passion du Christ dans l'art canadien", *La Patrie (Journal du dimanche),* March 26, 1950.

BIBLIOGRAPHIE/ BIBLIOGRAPHY

1. ARCHIVES ET SOURCES MANUSCRITES

1.1 Archives de la Chancellerie de l'Archevêché de Montréal

"Procès-Verbal de la Visite Épiscopale à Ville-Marie", 1843 (Dossier Notre-Dame et Saint-Sulpice, 1836-1843, Document 843-7)

Supplique du Rév. John Joseph Connoly à l'évêque de Montréal afin d'obtenir la permission d'ériger le chemin de croix dans l'église Saint-Patrick, 5 février 1852. (Dossier Notre-Dame et Saint-Sulpice, 1850-1859, Document 852-2)

Requête du Rév. Patrick Dowd concernant la ré-érection du chemin de croix de l'église Saint-Patrick, 21 février 1890 (Dossier Saint-Patrick, 1877-1896, Document 890-1)

1.2 Archives des communautés religieuses

ARCHIVES DU MONASTÈRE DE L'HÔTEL-DIEU DE QUÉBEC
Notes et mémoires des anciennes mères, Ar. 5, No. 11, p. 8

ARCHIVES DU SÉMINAIRE DE SAINT-SULPICE, MONTRÉAL
Le Séminaire de Montréal en compte avec le procureur du Séminaire de Paris, octobre 1863 à 1879, 18 février 1873 et mai 1873

1.3 Archives du Musée des beaux-arts de Montréal

Lettre de Evan H. Turner à A. Sidney Dawes datée du 31 août 1961

Procès-verbal du comité d'acquisition d'art canadien, 14 décembre 1961

1.4 Archives nationales du Québec, Québec

Greffe de Antoine-Archange Parent, 28 mars 1834 (no 1140), Engagement de François Matte à Antoine Plamondon.

Greffe de Antoine-Archange Parent, 5 juillet 1834 (no 435), Engagement de François Xavier (Théophile) Hamel à Antoine Plamondon

1.5 Archives paroissiales

MONTRÉAL, PAROISSE NOTRE-DAME
Livre des délibérations, 1845-1848, 24 mai 1847 (p. 25) et 14 juin 1847 (p. 26)

Lettre d'Antoine Plamondon à Joseph-Vincent Quiblier datée du 18 juin 1839 (Boîte 30, Chemise 36)

Lettre d'Antoine Plamondon à Joseph-Vincent Quiblier datée du 16 décembre 1839 (Boîte 30, Chemise 36)

Lettre d'Antoine Plamondon à Joseph-Vincent Quiblier datée du 1er mai 1841 (Boîte 30, Chemise 36)

Lettre de Giovanni Silvagni au Cardinal Orioli, Casa, le 20 avril 1843 (Boîte 30, Chemise 35)

Lettre de Joseph Vallée, marguillier de la fabrique de Notre-Dame, à l'évêque de Boston datée du 28 décembre 1846 (Boîte 30, Chemise 34)

Lettre de Ch. Champigneulle fils à R. Beullac datée du 21 juillet 1876 (Boîte 81, Chemise 34)

Lettre de R. Beullac à la fabrique de Notre-Dame de Montréal datée du 18 novembre 1876 (Boîte 56, Chemise 11)

Reçu de M. Moses, 9 mars 1850 (Boîte 42, Chemise 9)

MONTRÉAL, PAROISSE SAINT-HENRI
Procès-verbal de l'érection du chemin de croix de l'église Saint-Henri par le curé Décarie, 8 novembre 1885 (annexé au Livre des délibérations, 1873-1920, entre les feuillets 88 et 89)

SAULT-AU-RÉCOLLET, ÎLE DE MONTRÉAL
Livre des délibérations, 1825-1878, 5 juin 1842 (p. 51)

1.6 Inventaire des biens culturels, Montréal

Dossier Les Clercs de Saint-Viateur: Institution des Sourds-Muets, 7400 boulevard Saint-Laurent, Montréal

Dossier Église Notre-Dame, 116 Notre-Dame ouest, Montréal

Dossier Église Saint-Patrick, 460 Dorchester ouest, Montréal

Dossier Le Vieux Séminaire de Montréal, 116 Notre-Dame ouest, Montréal

1.7 Inventaire des biens culturels, Québec

DOSSIERS DES PAROISSES ET DES INSTITUTIONS
Chambly (Chambly)

Montréal: Église Notre-Dame
           Église Saint-Patrick
           Institution des Sourds-Muets
           Musée des beaux-arts de Montréal
DOSSIERS DES ARTISTES ET ARTISANS
Plamondon, Antoine

2. SOURCES IMPRIMÉES (journaux et revues)

L'Ami du Peuple de Montréal
  5 mai 1838, p. 3

L'Aurore des Canadas de Montréal
21 juillet 1840, p. 3
24 août 1843, p. 2
23 novembre 1847, p. 2
 3 décembre 1847, p. 2

Le Canadien de Québec
 7 août 1833, p. 1
21 avril 1834, p. 2
10 juin 1836, p. 2
10 octobre 1836, p. 2
30 avril 1838, p. 3
 9 mai 1838, p. 3
16 juillet 1838, p. 2
27 novembre 1839, p. 2 (repris le 29 novembre et le 2 décembre)
 4 décembre 1839, p. 2 (repris le 6 décembre)
 6 décembre 1839, p. 2
11 décembre 1839, p. 2
24 juin 1840, p. 2
12 août 1840, p. 1
 2 juin 1841, p. 2
20 août 1841, p. 2

24 mai 1843, p. 3
15 octobre 1847, p. 2
19 novembre 1847, p. 2
 2 juin 1851, p. 3
14 janvier 1852, p. 2

Le Courrier du Canada de Québec
21 mars 1860, p. 3

Le Fantasque de Québec
28 juillet 1838, p. 136-138

Le Journal de l'Instruction publique de Montréal
vol. 5, no. 6 (juin 1861), p. 108

Le Journal de Québec
16 mai 1843, p. 1
12 septembre 1843, p. 3
27 septembre 1843, p. 2
22 juin 1847, p. 2
14 octobre 1847, p. 2
16 novembre 1847, p. 2
 6 avril 1850, p. 2
16 avril 1850, p. 1
 2 août 1862, p. 2
16 décembre 1874, p. 2

Les Mélanges religieux, scientifiques, politiques et littéraires
de Montréal
30 mai 1843, p. 133
 3 octobre 1843, p. 4
19 novembre 1847, p. 77

La Minerve de Montréal
27 juin 1836, p. 2-3
29 septembre 1836, p. 3
18 octobre 1847, p. 2
25 août 1857, p. 2
14 mai 1861, p. 1
18 mars 1862, p. 2
31 août 1895, p. 4

Le Populaire de Montréal
14 mai 1838, p. 3

The Quebec Mercury
27 juillet 1833, p. 3
26 novembre 1839, p. 2 (repris les 28 et 30 novembre)
 5 décembre 1839, p. 1-2

La Revue Canadienne
29 janvier 1847, p. 411
 3 décembre 1847, p. 2

Revue de Montréal
Anonyme, "Le Musée de Montréal", quatrième année (juillet 1880),
p. 491-498

3. OUVRAGES DE RÉFÉRENCE

Bénézit, E., *Dictionnaire critique et documentaire des Peintres, Sculpteurs, Dessinateurs et Graveurs de tous les temps et de tous les pays par un groupe d'écrivains spécialistes français et étrangers*, nouvelle édition, 10 volumes, s. l., Librairie Gründ, 1976

Harper, John Russell, *Early Painters and Engravers in Canada*, (Toronto), University of Toronto Press, (1970), 376 p.

Weigert, Roger-Armand, *Bibliothèque Nationale. Département des Estampes. Inventaire du Fonds Français. Graveurs du XVIIe siècle*, tome II, Paris, Bibliothèque Nationale, 1951, 560 p.

4. ÉTUDES (livres et catalogues d'expositions)

Anonyme, *Dévotion aux Saints-Anges Gardiens, suivie d'une Méthode de faire le Chemin de la Croix avec les prières de la Messe et les Vêpres du Dimanche*, Montréal, E.R. Fabre & Cie, 1832, 96 p.

Anonyme, *Le Diocèse de Montréal à la fin du dix-neuvième siècle*, publié avec l'approbation de sa Grandeur Mgr Paul Bruchési, Montréal, Eusèbe Senécal & Cie, 1900, 800 p.

Anonyme, *Golden Jubilee of St. Patrick's Orphan Asylum*, Montréal, Hon. J.J. Curran J.S.C., 1902, 182 p.

Anonyme, *Instruction sur le Chemin de la Croix, avec les pratiques de cette dévotion, dédiée à la Très-Sainte Vierge...*, nouvelle édition, Lyon, Pélagaud et Lesne, 1839, 179 p.

L'Art du Québec au lendemain de la Conquête (1760-1790), catalogue de Claude Thibault, Québec, Musée du Québec, (1977), 141 p.

Beaufays, Ignace, *Le Chemin de la Croix*, Paris, Pierre Téqui, 1927, 36 p.

Béguin, Sylvie et Francesco Valcanover, *Tout l'œuvre peint de Titien*, traduit de l'italien par Simone Darses, (Paris), Flammarion, (1970), 144 p. (Coll. "Les Classiques de l'art")

Charpentier, Étienne et Marc Joulin, *Cinq chemins de croix selon les Évangiles*, (Ottawa), Novalis, (1983), 147 p.

Dessins inédits d'Ozias Leduc, catalogue de Laurier Lacroix, Montréal, Galerie d'art Sir George William de l'Université Concordia, 1978, 168 p.

Deux peintres de Québec/Two painters of Quebec: Antoine Plamondon (1802-1895). Théophile Hamel (1817-1870), catalogue de R.H. Hubbard, Ottawa, Galerie nationale du Canada, 1970, 176 p.

Fantin-Latour, (Paris), Éditions de la Réunion des musées nationaux, (1982), 358 p.

Friedlieb, Joseph Heinrich, *Archéologie de la Passion de Notre-Seigneur Jésus-Christ d'après les principes de l'harmonie des évangiles au point de vue historique et critique*, adapté en français par François Martin, Paris, P. Lethielleux, (1897), 439 p.

Froment, J.-Ad., *Histoire de Saint-Martin (Compté Laval - Île Jésus) compte rendu des noces d'or de son curé M. l'abbé Maxime Leblanc*, Joliette, Imp. J.C.A. Perreault, 1915, 118 p.

Gauthier, Henri, *Sulpitiana*, Montréal, 1926, 276 p.

Harper, John Russell, *Painting in Canada*, (Toronto), University of Toronto Press, (1966), 443 p.

Harper, John Russell, *La Peinture au Canada des origines à nos jours*, (Québec), Les Presses de l'Université Laval, (1969), 442 p.

Imbert, Jean, *Le procès de Jésus*, (Paris), Presses universitaires de France, (1980), 127 p. (Coll. "Que sais-je?", no 1896)

Lipscombe, Robert, *The Story of old St. Patrick's*, Montréal, 1967, 32 p.

Lord, Barry, *The History of Painting in Canada: Toward a people's art*, Toronto, NC Press, 1974, 293 p.

Mâle, Émile, *L'art religieux de la fin du XVIe siècle, du XVIIe siècle et du XVIIIe siècle: étude sur l'iconographie après le Concile de Trente (Italie, France, Espagne, Flandres)*, deuxième édition, Paris, Librairie Armand Colin, 1951, 532 p.

Mandements, Lettres Pastorales. Circulaires et autres documents publiés dans le diocèse de Montréal depuis son érection jusqu'à l'année 1869, tome premier, Montréal, J. Chapleau & Fils, 1887, 499 p.

Mandements, Lettres Pastorales et Circulaires des Évêques de Québec, publiés par H. Têtu et C.O. Gagnon, volume troisième, Québec, Imprimerie générale A. Côté et Cie, 1888, 535 p.

Maurault, Olivier, *Marges d'histoire,* tome 2, Montréal, Librairie d'Action canadienne-française Ltée, 1929, 297 p.

Maurault, Olivier, *"Nos Messieurs",* Montréal, Les éditions du Zodiaque, (1936), 324 p.

Maurault, Olivier, *L'œuvre et fabrique de Notre-Dame de Montréal,* Montréal, 1959, 86 p.

Maurault, Olivier, *La Paroisse: histoire de l'église Notre-Dame de Montréal,* Montréal, Louis Carrier & Cie, 1929, 334 p.

Maurault, Olivier, *La Paroisse: histoire de l'église Notre-Dame de Montréal,* 2ième édition, Montréal, Thérien Frères Limitée, 1957, 240 p., 78 pl.

Morisset, Gérard, *Le Cap-Santé, ses églises et son trésor,* Québec, Médium, 1944, 72 p., 32 pl. (Coll. "Champlain")

Morisset, Gérard, *Coup d'œil sur les arts en Nouvelle-France,* Québec, 1941, 170 p.

Morisset, Gérard, *Peintres et tableaux,* vol. 1, Québec, Les éditions du Chevalet, 1937, 178 p.

Morisset, Gérard, *Peintres et tableaux,* vol. 2, Québec, Les éditions du Chevalet, 1937, 267 p.

Morisset, Gérard, *La peinture traditionnelle au Canada français,* (Ottawa), Le Cercle du Livre de France, (1960), 216 p. (Coll. "L'Encyclopédie du Canada Français", 2)

Noppen, Luc, Claude Paulette et Michel Tremblay, *Québec trois siècles d'architecture,* s. 1., Libre Expression, (1979), 440 p.

Le peintre et le Nouveau Monde/The Painter and the New World, catalogue de David G. Carter, Montréal, Musée des beaux-arts de Montréal (1967), non paginé

Porter, John R., *Antoine Plamondon: Sœur Saint-Alphonse/Sister Saint-Alphonse,* Ottawa, Galerie nationale du Canada, 1975, 32 p. (Coll. "Chefs-d'œuvre de la Galerie nationale du Canada", 4)

Porter, John R., *Joseph Légaré 1795-1855. L'œuvre,* Ottawa, Galerie nationale du Canada, 1978, 157 p.

Porter, John R., *Un peintre et collectionneur québécois engagé dans son milieu: Joseph Légaré (1795-1855),* thèse de doctorat présentée au département d'histoire de l'Université de Montréal en janvier 1981, 531 p.

Porter, John R., *The Works of Joseph Légaré 1795-1855,* Ottawa, The National Gallery of Canada, 1978, 160 p.

Porter, John R. et Jean Trudel, *Le Calvaire d'Oka,* Ottawa, Galerie nationale du Canada, 1974, 125 p.

Porter, John R. et Jean Trudel, *The Calvary of Oka,* Ottawa, The National Gallery of Canada, 1974, 125 p.

Réau, Louis, *Iconographie de l'art chrétien,* tome second: *Iconographie de la Bible,* II: *Nouveau Testament,* Paris, Presses universitaires de France, 1957, 769 p.

Regnault, Henri, *Une province procuratorienne au début de l'Empire romain. Le procès de Jésus-Christ,* Paris, Librairie Alphonse

Picard et Fils, 1909, 144 p.

Reid, Dennis, *A Concise History of Canadian Painting,* Toronto, Oxford University Press, 1973, 319 p.

Robert, Guy, *La Peinture au Québec depuis ses origines,* (Sainte-Adèle), Iconia (1978), 221 p.

Rousseau, Louis, *La prédication à Montréal de 1800 à 1830: approche religiologique,* Montréal, Fides, (1976), 269 p. (Coll. "Héritage et projet", no. 16).

Saint-Pierre, Angéline, *L'œuvre de Médard Bourgault,* Québec, Éditions Garneau, (1976), 141 p.

Schnapper, Antoine, *Jean Jouvenet (1644-1717) et la peinture d'histoire à Paris,* Paris, Léonce Laget, 1974, 299 p. et ill. (Coll. "Artistes français")

Storme, Albert, *The Way of the Cross. A Historical Sketch,* traduit par Kieran Dunlop, Jerusalem, Franciscan Printing Press, (1976), 203 p.

Toker, Franklin, *The Church of Notre-Dame in Montréal. An Architectural History,* Montréal and London, McGill-Queen's University Press, 1970, 124 p., 54 pl.

Toker, Franklin K.B.S., *L'église Notre-Dame de Montréal: son architecture, son passé,* traduction de Jean-Paul Partensky, (Ville LaSalle), Hurtubise HMH, (1981), 302 p.

Trésors des communautés religieuses de la ville de Québec, catalogue de Claude Thibault, (Québec), Musée du Québec, (1973), 199 p.

Vézina, Raymond, *Théophile Hamel. Peintre national (1817-1870),* tome 1, (Montréal), Éditions Élysée, (1975), 301 p.

5. ÉTUDES (articles)

Anonyme, "Congress Hall, Montreal", *Construction,* décembre 1915, p. 503-507

Brown, Bonaventure, "Way of the Cross", *New Catholic Encyclopedia,* vol. XIV, New York, McGraw-Hill Book Company, 1967, p. 832-835

Dumas, Paul, "Antoine Plamondon (1802-1895) et Théophile Hamel (1817-1870)", *L'information médicale et paramédicale,* 15 décembre 1970, p. 20-21

Guiffrey, J.J. (document communiqué et annoté par), "Testament et inventaire des Biens, Tableaux, Dessins, Planches de cuivre, Bijoux, etc. de Claudine Bouzonnet-Stella rédigés et écrits par elle-même. 1693-1697", *Nouvelles Archives de l'Art Français,* 1877, réimpression, Paris, F. de Nobele, 1973, p. 1-109

Lacasse, Yves, "La contribution du peintre américain James Bowman (1793-1842) au premier décor intérieur de l'église Notre-Dame de Montréal", *The Journal of Canadian Art History/Annales d'histoire de l'art canadien,* vol. VII, no 1, 1983, p. 74-91

Maurault, Olivier, "M. Vincent Quiblier Prêtre de Saint-Sulpice", *Mémoires de la Société royale du Canada,* troisième série, tome XXVIII, section 1 (mai 1934), p. 139-148

Montaiglon, Anatole de, "L'auteur de la *Passion* gravée par Claudine Stella n'est point Nicolas Poussin, mais Jacques Stella. Lettre à M. Paul Chéron de la Bibliothèque Impériale", *Curiosité Universelle,* tome IX (1859), p. 97-122

Morisset, Gérard, "Antoine Plamondon (1804-1895)", *Vie des Arts,* no 31 (mai-juin 1956), p. 7-13

Morisset, Gérard, "Antoine Plamondon: portraitiste", *L'Ordre*, 13 avril 1935, p. 4

Morisset, Gérard, "... Un grand portraitiste: Antoine Plamondon", *Concorde*, vol. 11, nos 5-6 (mai-juin 1960), p. 14-15

Morisset, Gérard, "La passion du Christ dans l'art canadien", *La Patrie (Journal du dimanche)*, 26 mars 1950, p. 25, 40-41 et 50

Morisset, Gérard, "Plamondon à Neuville", *L'Almanach de l'Action Sociale Catholique*, vol. 19 (1935), p. 53-55

Morisset, Gérard, "Les prouesses picturales de Antoine Plamondon", *L'Événement*, 15 janvier 1935, p. 4; 16 janvier 1935, p. 4; et 17 janvier 1935, p. 4

Morisset, Gérard, "Saint-Martin (Île Jésus) après le sinistre 19 du mai (sic)", *Technique*, vol. 17, no 9 (novembre 1942), p. 597-605

Rosenberg, Pierre, "Six tableaux de Plamondon d'après Stella, Cigoli, Mignard et Jouvenet/The artists who influenced Plamondon", *M* (revue trimestrielle du Musée des beaux-arts de Montréal), vol. 2, no. 4 (mars 1971), p. 10-13

Thomé, J.R., "La Passion de Jacques et Claudine (dite Claudia) Stella", *Le Courrier graphique*, no 22 (1939), p. 9-13

Truston, H., "Étude historique sur nos dévotions populaires: 1. Le Chemin de la Croix", traduction abrégée de l'anglais par A. Boudinhon, *Revue du Clergé Français,* septième année, tome XXVIII (septembre, octobre, novembre 1901), p. 449-463

Tulchinsky, Gérard, "John Redpath", *Dictionnaire biographique du Canada*, volume IX (1861-1870), (Québec), Les Presses de l'Université Laval, (1977), p. 721-723

Wildenstein, Georges, "Les gravures de Poussin au XVIIe siècle", introduction par Julien Caïn, *Gazette des Beaux-Arts*, tome XLVI, 97ième année, 1040-1043e livraisons (septembre à décembre 1955), p. 77-371

EXPOSITIONS

Montréal, Musée des beaux-arts de Montréal, *Le peintre et le Nouveau Monde/The Painter and the New World*, 9 juin - 30 juillet 1967 : 1961. 1321, *Le baiser de Judas/The Kiss of Judas*, cat. no 31 (ill.) ; 1961.1322, *Le Christ devant Hérode/Christ Before Herod*, cat. no 30 (ill.) ; 1961.1323, *Le Christ à la colonne/Christ at the Column*, cat. no 28 (ill.) ; 1961.1324, *Ecce Homo*, cat. no 29 (ill.) ; 1961.1325, *Le chemin du Calvaire/The Road to Calvary*, cat. no 32 (ill.) ; 1961.1326, *Pieta*, cat. no 33 (pl. 2).

Montréal, Musée des beaux-arts de Montréal, *Avant et Après (Exposition sur la conservation)/Before and After (Conservation Exhibition)*, 7 février - 3 mars 1968 : 1961.1323, *Le Christ à la colonne/Christ at the Column* ; 1961.1324, *Ecce Homo*. Pas de catalogue.

Ottawa, Galerie nationale du Canada, *Deux peintres de Québec/Two Painters of Quebec: Antoine Plamondon (1802-1895). Théophile Hamel (1817-1870)*, Québec, Musée du Québec, 5 - 28 novembre 1970 ; Toronto, Musée des beaux-arts de l'Ontario, 11 décembre 1970 - 10 janvier 1971 ; Ottawa, Galerie nationale du Canada, 22 janvier - 21 février 1971 : 1961.1321, *Le baiser de Judas/The Kiss of Judas*, cat. no 25, p. 77-78 (ill. p. 132) ; 1961.1326, *Pieta*, cat. no 26, p. 78 (ill. p. 133).

Montréal, Musée de l'Oratoire, *Prêt* durant la période de rénovation, mars 1973 - décembre 1978 (sauf pour la période du 20 octobre au 20 novembre 1977) : 1961.1321, *Le baiser de Judas/The Kiss of Judas* ; 1961.1322, *Le Christ devant Hérode/Christ Before Herod* ; 1961.1323, *Le Christ à la colonne/Christ at the Column* ; 1961.1324, *Ecce Homo* ; 1961.1325, *Le Chemin du Calvaire/The Road to Calvary* ; 1961.1326, *Pieta*. Pas de catalogue.

Montréal, Musée des beaux-arts de Montréal, *L'Art du Québec au lendemain de la Conquête (1760-1790)*, (exposition préparée par le Musée du Québec), 20 octobre - 20 novembre 1977 : 1961.1321, *Le baiser de Judas/The Kiss of Judas* ; 1961.1322, *Le Christ devant Hérode/Christ Before Herod* ; 1961.1325, *Le chemin du Calvaire/The Road to Calvary* ; 1961.1326, *Pieta*. Les œuvres furent présentées uniquement au Musée des beaux-arts de Montréal et n'apparaissent pas au catalogue.

Montréal, Musée de l'Oratoire, *Autour de la Crucifixion*, mars 1981 - 8 novembre 1981 : 1961.1324, *Ecce Homo* ; 1961.1325, *Le chemin du Calvaire/The Road to Calvary*. Pas de catalogue.

EXHIBITIONS

Montreal, The Montreal Museum of Fine Arts, *Le peintre et le Nouveau Monde/The Painter and the New World*, June 9 — July 30, 1967: 1961.1321, *Le baiser de Judas/The Kiss of Judas*, cat. no. 31 (ill.); 1961.1322, *Le Christ devant Hérode/Christ Before Herod*, cat. no. 30 (ill.); 1961.1323, *Le Christ à la colonne/Christ at the Column*, cat. no 28 (ill.); 1961.1324, *Ecce Homo*, cat. no. 29 (ill.); 1961.1325, *Le chemin du Calvaire/The Road to Calvary*, cat. no. 32 (ill.); 1961.1326, *Pieta*, cat. no. 33 (pl. 2).

Montreal, The Montreal Museum of Fine Arts, *Avant et Après (Exposition sur la conservation)/Before and After (Conservation Exhibition)*, February 7 — March 3, 1968: 1961.1323, *Le Christ à la colonne/Christ at the Column*; 1961.1324, *Ecce Homo*. No catalogue.

Ottawa, National Gallery of Canada, *Deux peintres de Québec/Two Painters of Quebec: Antoine Plamondon (1802-1895). Théophile Hamel (1817-1870)*, Quebec City, Musée du Québec, November 5-28, 1970; Toronto, Art Gallery of Ontario, December 11, 1970 - January 10, 1971; Ottawa, National Gallery of Canada, January 22 - February 21, 1971: 1961.1321, *Le baiser de Judas/The Kiss of Judas*, cat. no. 25, p. 77-78 (ill. p. 132); 1961.1326, *Pieta*, cat. no. 26, p. 78 (ill. p. 133).

Montreal, Musée de l'Oratoire, *Loan* during renovation period, March 1973-December 1978 (except for between October 20 and November 20, 1977): 1961.1321, *Le baiser de Judas/The Kiss of Judas*; 1961.1322, *Le Christ devant Hérode/Christ Before Herod*; 1961,1323, *Le Christ à la colonne/Christ at the Column*; 1961.1324, *Ecce Homo*; 1961.1325, *Le Chemin du Calvaire/The Road to Calvary*; 1961.1326, *Pieta*. No catalogue.

Montreal, The Montreal Museum of Fine Arts, *L'Art du Québec au lendemain de la Conquête (1760-1790)*, (exhibition prepared by the Musée du Québec), October 20 - November 20, 1977: 1961.1321, *Le baiser de Judas/The Kiss of Judas*; 1961.1322, *Le Christ devant Hérode/Christ Before Herod*; 1961.1325, *Le chemin du Calvaire/The Road to Calvary*; 1961.1326, *Pieta*. These works were only presented at the Montreal Museum of Fine Arts and did not appear in the catalogue.

Montreal, Musée de l'Oratoire, *Autour de la Crucifixion*, March 1981 - November 8, 1981: 1961.1324, *Ecce Homo*; 1961.1325, *Le chemin du Calvaire/The Road to Calvary*. No catalogue.

CRÉDITS PHOTOGRAPHIQUES

Alinari, Editorial Photocolor Archives, New York, fig. 25 ;

Archives nationales du Québec (Fonds Armour Landry), Montréal, fig. 12 ;

Archives publiques du Canada, Ottawa, fig. 9 ;

Bibliothèque nationale (Cabinet des estampes), Paris, fig. 15, 16, 17, 19, 21 ;

Bibliothèque nationale du Canada, Ottawa, fig. 8 ;

Bibliothèque nationale du Québec, Montréal, fig. 7 ;

Documentation photographique de la Réunion des musées nationaux, Paris, fig. 27 ;

Inventaire des biens culturels, Montréal, fig. 11, 28 ;

Inventaire des biens culturels, Québec, fig. 13, 23, 33 ;

Merrett & Harper Inc., Montréal (obtenue par la Galerie nationale du Canada, Ottawa), fig. 31 ;

Musée des beaux-arts de Montréal, Marilyn Aitken, I, II, III, IV, V, fig. 1, 2, 14, 18, 20, 22, 24, 26, 34 ;

Musée des beaux-arts de Montréal, Philippe Bérard, VI, fig. 4, 10, 30 ;

Musée des beaux-arts de l'Ontario, Toronto, fig. 3 ;

Musée du Québec, Eugen Kedl, fig. 5 ;

Fred Schaeffer, Toronto, fig. 6 ;

Société du Musée du Séminaire de Québec, fig. 29 ;

Société historique de Cap-Santé, fig. 32.

PHOTOGRAPHY CREDITS

Alinari, Editorial Photocolor Archives, New York, fig. 25;

Archives nationales du Québec (Fonds Armour Landry), Montreal, fig. 12;

Art Gallery of Ontario, Toronto, fig. 3;

Bibliothèque nationale (Cabinet des estampes), Paris, fig. 15, 16, 17, 19, 21;

Bibliothèque nationale du Canada, Ottawa, fig. 8;

Bibliothèque nationale du Québec, Montreal, fig. 7;

Documentation photographique de la Réunion des Musées nationaux, Paris, fig. 27;

Inventaire des biens culturels, Montreal, fig. 11, 28;

Inventaire des biens culturels, Quebec City, fig. 13, 23, 33;

Merrett & Harper Inc., Montreal (obtained by the National Gallery of Canada, Ottawa), fig. 31;

The Montreal Museum of Fine Arts, Marilyn Aitken, I, II, III, IV, V, fig. 1, 2, 14, 18, 20, 22, 24, 26, 34;

The Montreal Museum of Fine Arts, Philippe Bérard, VI, fig. 4, 10, 30;

Musée du Québec, Eugen Kedl, fig. 5;

Public Archives of Canada, Ottawa, fig. 9;

Fred Schaeffer, Toronto, fig. 6;

Société du Musée du Séminaire de Québec, fig. 29;

Société historique de Cap-Santé, fig. 32.